KB184212

의대 합격
고득점의 비밀

의대 합격 고득점의 비밀

1판 1쇄 인쇄 2023년 4월 3일
1판 1쇄 발행 2023년 4월 10일

지은이 | 임민찬
발행인 | 김형준

편집 | 구진모, 김지혜
마케팅 | 최인석
디자인 | 김윤남

발행처 | 체인지업북스
출판등록 | 2021년 1월 5일 제2021-000003호
주소 | 경기도 고양시 덕양구 삼송로 12, 805호
전화 | 02-6956-8977
팩스 | 02-6499-8977
이메일 | change-up20@naver.com
홈페이지 | www.changeuplibro.com

ⓒ 임민찬, 2023

ISBN 979-11-91378-32-0 43190

• 이 책의 내용은 저작권법에 따라 보호받는 저작물이므로,
  전부 또는 일부 내용을 재사용하려면 저작권자와 체인지업의 서면동의를 받아야 합니다.
• 잘못된 책은 구입처에서 바꿔드립니다.
• 책값은 뒤표지에 있습니다.

체인지업북스는 내 삶을 변화시키는 책을 펴냅니다.

의대 합격생만 아는 의대 가는 법

의대 합격
고득점의 비밀

임민찬 지음

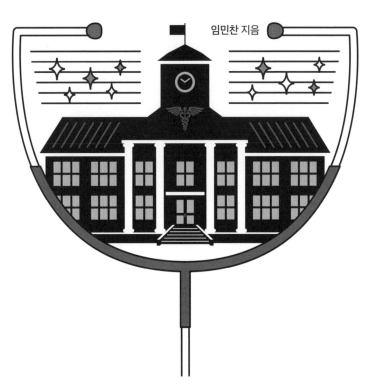

체인지업
CHANGEUP

고등학생이 되었는데 어떻게 해야 공부를 잘하게 될지 모르는 사람, 의사가 되길 꿈꾸지만 성적이 따라주지 않는 사람, 지금부터 모든 것을 걸고 공부에 매진하고 싶은 사람에게 목표를 이루는 가장 빠른 길을 안내합니다.

의대를 희망하는 학생을 위한
가장 확실한 합격 전략

전라남도의 일반 고등학교에 다닌 저는 늘 서울 및 수도권과 지방에 보이지 않는 교육 격차가 있다는 사실이 못내 아쉬웠습니다. 서울에서 열리는 유명한 강의를 들으러 갈 기회도 없었고, 오직 공부 관련 정보를 얻을 수 있는 곳은 학교와 동네 학원 그리고 수험생 커뮤니티뿐이었습니다. 하지만 저는 제 꿈을 위해 의대를 목표했습니다. 지방에서 서울에 있는 의대에 진학하기는 '하늘의 별 따기'만큼 어렵다고 했지만, 나름대로 최선을 다해 열심히 공부했습니다. 하지만 잘하고 있는지에 대한 확신이 없어 늘 불안감을 안고 있었습니다. 더욱이 제가 다닌 고등학교에서 서울에 있는 의대에 진학한 사례는 거의 없었고, 주변에 의대를 다니는 지인도 없어서 어느 정도의 성적을 받아야 의대에 갈 수 있는지, 어느 정도로 공부를 해야 하는지 등 명확한 기준이 없었습니다. 단지 수험생 커뮤니티를 통해 서울에 사는 학생들이 유명한 선생님들의 현장 강의를 직접 가서 듣고, 다양한 컨설팅과 인기 있는 과외를 받으며 공부하는 모습을 보면서 그저 부러워만 할 뿐이었습니다. 하지만 상황만 탓하고 있어도 아무것도 달라지는 게 없으니 주어진 환경에서 최선을 다해 공부에 매진해 보자고 결심했습니다. 무엇보다 공부를 효율적으로 하는 방법과 스스로 왜 공부를 해야 하는지 꾸준히 되새기며 공부에 집중할 수 있는 마음가짐과 환경을 만들기 위해 노력했습니다. 그렇게 다양한 방법을 시도해 본 결과, 결국 목표했던 중앙대 의대에 합격할 수 있었습니다.

의대에 합격한 후, 그동안 공부했던 학습법에 대해 한번 정리해 보고 싶다는 생각이 들었습니다. 또 제가 지방 고등학교에 다니면서 느꼈던 아쉬움을 후배들은 느끼지 않도록 도움을 주고 싶었습니다. 마침 대학교 1학년 때 코로나19로 인해 대학이 전부 비대면 수업으로 진행되었기에 남는 시간을 활용해 고등학교 때 효과적으로 활용했던 공부법을 정리할 수 있었습니다. 그리고 동시에 고3 수능 영어를 전문으로 하는 과외 일도 시작했습니다. 그렇게 약 1년 6개월 동안 개인 영어 과외를 진행하다 보니 학생들의 공부법에 대해 더욱 관심이 생겼으며, 학생들의 다양한 학습 고민도 상담해 주기 시작했습니다. 그러던 중 고등학교 시절 공부 정보가 부족했던 저에게 선배의 조언이 필요했던 것처럼, 중고등학생들에게 학습 고민 상담을 해주고 싶다는 생각을 하게 되었습니다. 그래서 시작한 것이 '네이버 엑스퍼트 플랫폼'을 활용한 〈고등, 내신 상담 프로그램〉과 〈수능 1년 계획 수립 프로그램〉이었고, 지금까지 총 300건이 넘는 상담을 진행하면서 수많은 학생과 소통할 수 있었습니다.

그런데 학생들의 질문을 확인해보니 공통된 질문들도 많았고, 분명 다른 학생들도 궁금해할 만한 내용들이 많았습니다. 그래서 이런 학습 고민과 답변을 하나의 게시물로 정리해서 더 많은 학생이 볼 수 있도록 인스타그램에 올리기 시작했습니다. 요즘 학생들은 자신의 공부 플래너나 공부 흔적을 인스타그램을 통해 공유하고 기록하며 서로 학습 자극을 불러일으키는 일명 '공스타그램'을 적극 활용하고 있습니다. 그래서 인스타그램에 'medical_mento'라는 제목으로 학생들에게 유용한 여러 공부 정보를 담은 게시물을 올리기 시작했고, 4개월 만에 팔로워 수가 1만 명에 도달하는 것을 보며 학생들에게 학습과 생활에 대한 고민을 해결해 줄 곳이 필요하다는 점을 여실히 느낄 수 있었습니다. 그리고 현재 중고등학생들이 다음 두 가지 부분에 대해 불편하고 아쉬움을 느낀다는 것을 깨달았습니다.

첫째, 학생들에게 필요한 정보들이 이곳저곳에 흩어져 있다는 점입니다. 학생들이 원하는 정보를 얻으려면, 수험생 커뮤니티나 인스타그램, 유튜브와 책 등 다양한 플랫폼을 통해 일일이 찾아봐야 합니다. 그래서 시간이 오래 걸리고 정보를 열심히 찾아도 원하는 답을 깔끔히 정리해서 보기가 어렵습니다.

둘째, 온라인에는 검증되지 않고 무분별하게 퍼져 있는 학습 정보도 많다는 점입니다. 그저 본인에게만 적용되는 공부법이 마치 100% 통하는 공부법인 것처럼 홍보하기도 하고, 특히 수험생 커뮤니티에 질문을 하면 전문가가 아닌 같은 중고등학생들이 답변하는 경우가 많아서 정보를 모두 다 신뢰할 수 없다는 단점이 있었습니다.

그래서 학생들이 더는 이곳저곳 찾아보며 확실하지 않은 정보에 시간을 낭비하지 않도록 제가 직접 효과를 본 공부법과 고민 상담 내용을 모두 모아 한 권의 책으로 엮기로 마음먹었습니다. 이미 시중에는 공부법을 다루는 책이 많이 출간되었습니다. 하지만 보통은 '공부법'에 대한 내용만 다루거나, '공부의 목적'에만 집중한 책들이 대부분입니다. 하지만 《의대 합격 고득점의 비밀》은 고등학교 생활에 필요한 모든 내용을 담아 단 한 권만으로도 학생들의 고민을 모두 해결할 수 있게 구성했습니다.

우선 저의 의대 진학을 이루어준 공부의 핵심 비법인 내신·수능 대비 과목별 학습법을 자세히 실었습니다. 그리고 그동안 여러 상담을 진행하면서 받았던 질문들을 위주로 고등학생들의 학습과 생활을 효과적인 자기 관리를 통해 긍정적으로 이끌 수 있는 노하우를 정리했습니다. 또 대학 입시에 필요한 생활기록부 관리나 면접 준비법뿐만 아니라 중학생들을 위해서 고등학교 진학 전에 준비해 두면 좋은 것들도 다루었습니다. 그래서 학생들이 대학 입학 전까지 고민이 생길 때면 언제든 펼쳐볼 수 있는 든든한 버팀목 같은 책이 될 수 있게 구성했습니다.

저는 고등학생 시절 내내 학습 정보가 부족해 목말랐고 답답했지만, 이 책을 만난 여러분은 다릅니다. 이 책을 통해 그동안 의대에 가기 위해 제가 했던 특별한 학습 비법과 학생들의 현실적인 고민 해결책을 정리한 '시크릿 노트'를 자신의 것으로 만들 수 있기 때문입니다. 부디 이 책을 활용한 수많은 학생이 최고의 성적을 이끌어내어 원하는 학교에 진학할 수 있기를 바랍니다. 전국의 모든 중고등학생 여러분을 응원합니다!

지은이 임민찬

차례

1장 고등학교 진학 전에 해야 할 일

2장 의대로 향하는 학습 기본 자세

1장

고등학교 진학 전에
해야 할 일

── 고등학교 진학 전 ──
1

고등학생이 되기 전에
꼭 해야 할 공부는?

중학생 때는 고등학교 생활에 대해 막연한 걱정과 불안감을 느낄 수 있습니다. 하지만 중학교 생활을 잘 해왔다면 고등학교 생활도 잘 적응할 수 있을 것입니다. 그러니 너무 불안해하기보다는 고등학교에 진학하기 전에 해 두면 좋은 학습을 꼼꼼히 챙기는 것이 현명합니다.

본격적으로 대학 입시와 연결되는 고등학교 내신 시험은 중학교 학습을 바탕으로 확장됩니다. 그래서 중학교 시기에 기초 학습을 잘 다져두는 것이 중요합니다. 지금부터 과목별로 어떻게 학습하면 좋을지 살펴보겠습니다.

국어 〰〰〰

문법 공부 끝내두기

고등학교에 진학하기 전에 문법 공부는 미리 해 두는 것이 좋습니다. 물론 수능만 준비한다면, 언매(언어와 매체) 과목을 선택하지 않았을 때, 문법 공부가 필요 없겠지만, 내신을 챙길 예비 고1 학생이라면 문법 공부는 필수입니다. 학기 중에 공부하려면 생각보다 이해해야 할 개념도 많고 풀이 연습이 필요한 부분도 있어 부담이 될 수 있으니 미리 공부합니다.

의대생이 선택한 문제집 &인강 〈〈〈 TIP

· 문제집 : 《떠먹는 국어문법》(쏠티북스), 《매3 언어와 매체》(키출판사)
· 인강 : 〈ebsi 장동준T 국어 문법 초스피드 특강〉, 〈대성 유대종T 문법 인강〉, 〈메가 김동욱T 문법 인강〉

모의고사 공부 시작하기

아직 예비 고등학생이지만, 고1 3월이 되면 학교생활과 내신으로 바쁘기에 고등학교 올라가기 전 방학 때 미리 모의고사에 관한 공부를 시작하는 것이 좋습니다. 모의고사 공부를 할 때 처음부터 혼자서 문제를 풀고 분석하는 방식은 별로 추천하지 않습니다. 문제를 어떻게 푸는지, 분석을 어떻게 하는지 모르는 상태에서 바로 문제부터 풀면 잘못된 문제 풀이 습관이 굳어질 수 있고, 얻어가는 건 없는 비효율적인 공부가 될 수 있기 때문입니다. 그러니 혼자서 공부하는 것보다는, 먼저 인강을 통해 모의고사 공부를 시작하는 것이 좋습니다. 만약 '메가스터디', '대성마이맥' 등의 유료 인강 패스가 있다면, 여러 인강 선생님의 첫 입문 강좌를 듣는 것을 추천합니다.

독서

물론 예비 고등학생들도 바쁘겠지만, 시간을 내어 본인의 희망 진로 관련 책 한 권과 한국문학 중 한 권을 읽는 것을 목표로 하루 20분씩 꾸준히 두 달간 읽어 보길 추천합니다. 무엇보다 희망 진로와 관련된 책을 읽어 두면 나중에 고등학교 생활기록부에도 활용할 수 있고, 공부에 대한 동기 부여가 될 수 있습니다. 그리고 독서는 결국 실제 내신과 모의고사에서 글을 잘 읽고 해석하는 능력을 키울 수 있으니 다방면으로 도움이 됩니다.

어휘력

단어, 한자어, 속담, 사자성어 등 어휘력이 부족하다고 생각하는 학생들은 따로 공부해 보완해야 합니다. 저는 시중에 나온 책《국어의 기술 외전 결국은 어휘력》(좋은책신사고)을 활용해 보충하였습니다. 시중에 다양한 좋은 책들이 많이 나와 있으니 자신에게 맞는 책을 골라 틈틈이 어휘력을 키워 둡니다.

수학 〰〰

'수학 상/하'에 대한 공부가 우선

수학은 고1 때 학교 시험을 보게 될 '수학 상'과 '수학 하'에 대한 공부가 우선입니다. 시간이 아주 부족하다면, '수학 상'만이라도 제대로 공부해 둡니다. 중3 겨울방학 때는 개념서 한 권과 유형별 문제집 한 권, 이렇게 총 두 권을 공부합니다. 그런 후 시간적 여유가 생겨 기출문제집까지 추가로 공부해 두면, 시험 기간 때 훨씬 여유롭게 대비할 수 있습니다.

의대생이 선택한 **문제집**

<<< TIP

- **개념서** : 《개념원리》(개념원리), 《개념+유형》(비상교육), 《수학의 바이블》(이투스교육)
- **유형별 문제집** : 《쎈B》(좋은책신사고), 《개념원리 RPM》(개념원리)
- **기출문제집** : 《마더텅 전국연합 학력평가 기출문제집》(마더텅)

'수학 1/2'는 가볍게 개념 정도만!

예비 고등학생 중에서 이미 '수학 상/하' 선행을 마친 친구들은 '수학 1/2'까지도 선행을 하고 싶어 합니다. 하지만 지금 '수학 1/2'를 많이 공부해도 1년이 지나면 잊어버리기 쉽습니다. 과한 선행보다는 개념 정도만 가볍게 훑는 것을 추천합니다. 시간이 더 있더라도, 유형별 문제집만 좀 더 푸는 식으로 접근하는 게 좋습니다. 고등학교 올라가기 전 겨울방학 때는 '수학 1/2'에 대한 선행보다 '수학 상/하'에 대한 공부가 더 중요하다는 것을 꼭 기억합니다.

중학 도형 다지기

중학교 3년 동안 수학 공부를 열심히 했든, 안 했든 '중학 도형'에 대해서는 고등학교 올라오기 전 방학 때 전반적으로 정리하는 시간이 필요합니다. 중학 도형의 개념이나 원리가 실제 고등학교 공식이나 문제 풀이에 쓰이는 경우가 꽤 많아서 중학 도형에 대한 공부가 부족하면 불편함을 겪기 때문입니다.

‹‹‹ TIP

· 문제집 : 《인투더 중학 도형의 모든 개념&증명》(시대인재북스)
· 인강 : 〈메가 현우진T '노베' 강의〉, 〈메가 양승진T 도형의 모든 것 특강〉

수학 '노베' 학생을 위한 솔루션

예비 고1 학생 중 초중등 수학 공부를 열심히 하지 않았고, 심지어 수학에 거부감이 있는 학생들도 있습니다. 이런 학생이 바로 고등 개념 수학부터 공부하기는 어렵습니다. 이런 학생들은 초중등 및 고1 수학에 대해 전반적인 흐름을 잡아주는 인강인 〈ebsi 정승

제T 50일 수학〉을 매일 차근차근 들어보면서 수학의 기초를 다시 쌓기를 추천합니다. 이 과정을 통해 우선 수학 거부감을 덜어낸다면 고등 수학을 공부하기에 앞서 많은 도움이 될 것입니다.

영어 〰〰

무엇보다 단어 암기

영어는 단어 암기를 열심히 하는 것이 중요합니다. 단어를 잘 모르면 해석하거나 문제 풀이를 할 때 어려움을 겪습니다. 단어 암기는 방학 때에도 매일 1, 2과씩 꾸준히 진행하는 것이 좋습니다.

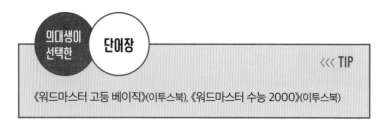

의대생이 선택한 **단어장**

〈〈〈 TIP

《워드마스터 고등 베이직》(이투스북), 《워드마스터 수능 2000》(이투스북)

영문법 공부 미리하기

고등학교 영어 내신 시험 범위에 영어 문법이 포함되는 경우가 많습니다. 미리 영문법을 공부하지 않으면, 내신 시험 기간 때 문법 개념부터 다시 정리하고 공부하는 데 많은 시간을 투자해야 합니다. 그러면 다른 과목을 공부할 시간이 부족해집니다. 그러니 영문법 공부는 미리 해 두어 시험에 대비합니다.

의대생이
선택한
문제집
<<< TIP

《자이스토리 고등 영문법 기본》(수경출판사)

해석 공부 다지기

이 시기에는 해석 공부도 중요합니다. 고등학교 영어 내신은 본문을 통으로 암기해서 문제를 푸는 방식이 더는 적용되지 않습니다. 또한 교과서와 부교재까지 있을 때가 많으니 기본적인 영어 실력을 잘 다져 두어야 무리 없이 시험에 대비할 수 있습니다.

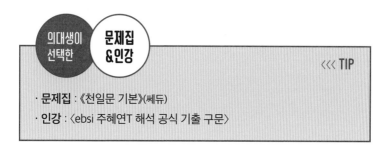

의대생이
선택한
문제집
&인강
<<< TIP

· 문제집 : 《천일문 기본》(쎄듀)
· 인강 : 〈ebsi 주혜연T 해석 공식 기출 구문〉

탐구 ~~~~~

탐구는 통합과학에 대한 개념 및 기출문제 풀이 공부에 집중하는 게 좋습니다. 그리고 고2 때 배울 물리, 화학, 생명과학, 지구과학을 미리 선행하려는 학생들은 이 4개 과목 중 본인이 선택할 한 과목만 골라 통합과학 공부와 함께 개념 학습을 조금씩 병행해 주는 것이 좋습니다.

의대생이 선택한 **문제집**

<<< TIP

· **개념서** : 〈완자〉 시리즈(비상교육)
· **기출문제집** : 〈자이스토리〉 시리즈(수경출판사)

한국사 〜〜〜

고등학교 1학년 때 배우는 한국사는 중학교 때 기본 상식을 쌓아 두어야 합니다. 많은 자료를 읽고 외우며 이해해야 하는 과목 특성 상 시간이 많이 필요한 과목이기 때문입니다. 그러니 중학교 수업 시간에 한국사만큼은 열심히 들으며 개념을 잘 정리하고, 혹시 가능하다면 한국사능력검정시험을 준비하면서 실력을 쌓아보길 추천합니다. 특히 한국사는 무작정 단순 암기보다는 사건의 흐름에 따라 스토리텔링 형식으로 효율적으로 암기하는 것이 좋습니다.

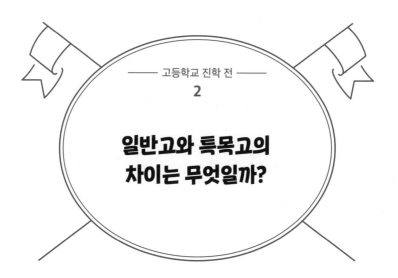

고등학교 진학 전 ─
2

일반고와 특목고의 차이는 무엇일까?

고등학교 진학 문제 중 가장 많은 고민 중 하나가 일반고와 특목고 중 어느 학교로 진학하는 게 좋을지에 대한 결정입니다. 저 역시 특목고와 일반고 중 어느 학교를 선택해야 좋을지에 대한 고민이 많았습니다. 당시에 저는 일반고를 선택했지만, 의대 동기 중에는 특목고 출신이 많았습니다. 의대생들에게 들은 특목고의 분위기와 환경에 대한 여러 정보와 함께 일반고와 특목고의 장단점에 대해서 정리해 보았습니다.

먼저 일반고의 장점은 공부를 잘하는 학생의 비율이 특목고보다 적다는 점입니다. 특목고는 대부분 기본 공부 실력이 갖춰진 공부 잘하는 학생들이 모이는 곳이라서 경쟁이 아주 치열합니다. 하지만 일반고는 특목고에 비하면 경쟁이 덜 하기 때문에 공부를 열심히 하면 그만큼 더 좋은 성적을 받을 수 있습니다. 그리고 일반고는 내신 시험이 특목고보다 쉽게 출제됩니다. 특목고는 공부 실력이 좋은 학생들이 많은 만큼 변별력을 위해 더욱 어렵게 출제하지만, 일반고는 내신이 비교적 쉽게 출제되므로 내신 공부에 대한 부담이 적습니다. 하지만 일반고에도 단점은 있습니다.

첫째, 장점이기도 한 '내신 시험이 비교적 쉽다'는 것이 단점이 될 수 있습니다. 내신 시험이 쉽다는 건 변별력이 부족하다는 의미이고, 한두 문제만 실수해도 좋지 않은 성적을 받을 수 있습니다. 내신은 상대평가이다 보니, 변별력이 없으면 작은 실수가 성적에 큰 영향을 줄 수 있습니다. 둘째, 대부분 일반고는 수시 중심이라서 고등학교 1학년 때부터 정시만 준비하고 싶은 학생들에게는 적합하지 않다는 점입니다. 수시는 고등학교 3년간의 내신 성적으로, 정시는 수능 점수로 대학 입시를 하는 것인데, 대부분 일반고는 내신 중심이라서 만약 본인이 수능으로만 대학 입시에 도전하고 싶다면, 일반고는 맞지 않을 수 있습니다.

특목고의 장점은 일단 학습 분위기가 비교적 잘 형성되어 있다는 것입니다. 아무래도 공부를 잘하는 학생들이 모이니 자연스레 열심히 공부하는 분위기가 만들어집니다. 그리고 고등학교 생활기록부에는 본인의 진로와 관련한 다양한 활동을 채우기 마련인

데, 특목고는 일반고보다 좀 더 깊이 있고 다양한 활동을 할 수 있는 환경이 갖춰져 있어 유리한 부분이 있습니다.

하지만 특목고 역시 단점이 있습니다. 워낙 공부를 잘하는 학생들만 모였기 때문에 좋은 내신 성적을 받는 게 쉽지 않습니다. 그렇기에 수시 전형을 선택하는 학생들보다는 수능 점수로 대학 입시에 도전하는 학생들이 더 많은 편입니다. 만약 수능보다 내신 성적으로 대학에 갈 생각이라면 특목고보다는 일반고가 더 유리할 수 있습니다. 그리고 특목고의 치열하게 공부하는 분위기에 적응하려면 정신력 역시 강해야 합니다. 제 주변에는 중학교 때 전교 3등 안에 들던 친구가 특목고에 진학해서 예전만큼 내신 성적이 나오지 않으니 공부에 흥미를 잃고 좌절하면서 성적을 회복하지 못한 경우가 있었습니다. 이렇듯 치열한 경쟁 속에서 버텨 내야 한다는 점이 특목고의 가장 큰 단점일 것입니다.

만약 고등학교 3년 내신 성적으로 대학에 갈 계획이고 공부에 대한 부담을 덜 느끼며 열심히 공부한 만큼 성적이 나오길 원한다면, '일반고'를 선택하면 됩니다. 반면 주변 친구들의 분위기에 영향을 많이 받고, 수능에 집중해서 대학 입시를 할 생각이라면 '특목고'를 추천합니다.

중학생 때부터 학원, 과외, 인강으로 공부해야 할까?

중학생 중 어떤 방법으로 공부를 해야 할지 고민하는 친구들이 많습니다. 예를 들어 학원에 다녀야 할지, 과외를 해야 할지, 인강을 들어야 할지, 아니면 그냥 독학해도 괜찮을지 많이 고민합니다. 지금부터 각 공부 수단의 장단점과 함께 중학생 때는 어떻게 공부하는 것이 효율적인지 알아보겠습니다.

먼저 학원입니다. 학원은 보통 단체로 수업을 진행합니다. 다른 친구들과 함께 수업을 듣기 때문에 친구들이 열심히 공부하는 모습을 보면서 자극이 되어 같이 열심히 하게 됩니다. 또 매번 숙제가 있기에 원하지 않아도 규칙적으로 공부하게 된다는 것도 큰 장점입니다. 하지만 단체로 진행되는 수업은 개인별 수준에 맞춘 수업이 아니어서 수업 내용이 쉽거나 너무 어려울 수 있습니다. 그러면 도움이 안 되거나 반대로 제대로 수업 내용을 이해하지 못하는 비효율적인 학습이 될 수 있다는 단점이 있습니다.

다음은 과외입니다. 과외는 대부분 일대일로 진행합니다. 그렇기에 자신의 수준에 맞춘 수업을 들을 수 있고, 모르는 문제나 이해가 안 되는 부분이 있다면 바로 과외 선생님에게 물어볼 수 있습니다. 그래서 자신에게 부족한 부분을 효율적으로 채울 수 있다는 장점이 있습니다. 만약 과외 선생님이 대학생이라면, 공부뿐만 아니라 다양한 학습 정보도 얻을 수 있고, 나이 차이가 많이 나지 않은 선생님이자 대학 진학 선배이기도 하므로 적절한 학습 자극도 받을 수 있습니다. 하지만 개인 과외는 다른 학습 수단보다는 아무래도 비용이 높다는 단점이 있으며, 중학교 교과 내용 자체가 과외가 필요할 만큼 어려운 내용은 아니라서 오히려 공부에 큰 도움이 되지 않을 수도 있습니다.

또 다른 학습 수단은 인강입니다. 인강의 장점은 자신에게 필요한 부분만 강의를 신청해 골라 들을 수 있다는 점입니다. 과외의 장점과 비슷합니다. 그리고 인강은 시간과 공간의 제약 없이 자신이 듣고 싶을 때 언제든지 들을 수 있다는 점이 가장 큰 장점입니다. 하지만 이러한 특징은 인강의 단점이 되기도 합니다. 강제성이 없고, 특히 따로 꼭 해야 하는 숙제도 없다 보니 스스로 확실한 공부 의지가 있지 않다면, 공부에 소홀해지고 오히려 비효율적인 공부가 될 수 있습니다.

　그러면 중학생 때는 어떻게 공부하는 것이 좋을까요? 우선 학원, 과외, 인강 없이 독학으로 하는 것은 추천하지 않습니다. 중학생 때는 아직 공부 습관이 제대로 잡히지 않았기 때문에 독학으로 하면 놓치는 부분이 생길 수 있고, 규칙적으로 공부하기도 어렵기 때문입니다. 그래서 중학생 때는 인강보다는 학원이나 과외를 통한 공부를 추천합니다. 학원이나 과외를 통해서 공부하면 반복되는 숙제가 있기에 규칙적인 공부 습관을 만들기 쉽습니다. 반면 인강은 독학을 반대하는 이유와 마찬가지로 강제성이 없기에 오히려 공부에 소홀해질 수 있으니 자신의 스타일에 맞게 신중히 선택하는 것이 좋습니다.

의대 합격 고득점의 비밀

중학교 내신 공부도 열심히 해야 할까?

    중학교 내신은 고등학교 내신과 비교했을 때 중요도가 떨어지는 것이 사실입니다. 고등학교 내신 성적은 대학 입시에 직접적으로 연관되기 때문에 정말 중요하지만, 중학교 내신은 대학 입시와는 전혀 관련이 없기 때문입니다. 하지만 저는 중학교 때도 매번 내신 시험에 최선을 다했고, 늘 평균 97-98점대를 유지하면서 전교 1등으로 졸업했습니다. 누가 시켜서 한 공부가 아니라 자발적으로 열심히 중학교 내신을 챙겼습니다. 중학교 내신이 대학 입시에 영향을 끼치는 것은 아니지만, 제가 중학교 내신 공부를 열심히 한 이유로는 두 가지가 있습니다.

첫 번째 이유는 중학교 교과 내용이 고등학교 교과 내용의 기반이 되기 때문입니다. 중학교 내신이 중요하지 않다는 이유로, 중학교 교과 내용을 열심히 공부하지 않고 '고등학교에 가면 열심히 공부해야지!'라는 마음가짐으로 중학교 3년을 보내는 학생도 있습니다. 하지만 어떤 과목이든 중학교 때 배우는 내용들은 고등학교 학습의 밑바탕이 됩니다. 특히 수학은 고등 인강 사이트에 〈중학 수학 총정리〉 강의가 있듯이, 중학교 수학에 대한 확실한 정리가 되어 있어야 고등학교 수학을 더욱 효율적으로 공부할 수 있습니다. 그리고 영어도 중학교 때 배워야 할 단어, 해석, 문법에 대한 정리를 잘해 두어야 고등학교 때 큰 어려움 없이 심화 내용을 배울 수 있고, 국어도 중학교 때 짧은 글들을 독해하는 연습을 해야만 고등학교 때 긴 글들을 읽으면서 문제를 풀 수 있습니다. 사회나 과학 역시 중학교와 고등학교 내용이 연결되는 부분이 있으니 착실히 공부해 두는 게 도움이 됩니다. 그러니 '고등학교 때 가서 열심히 하면 되겠지'라는 생각보다는 중학교 내신 공부부터 열심히 하는 것이 유리합니다.

두 번째 이유는 중학교 내신 공부가 단순히 공부뿐만 아니라 자신의 공부 습관을 만들고 공부 패턴을 파악하는 데 큰 도움이 되기 때문입니다. 중학생 때 열심히 공부하지 않다가 갑자기 고등학생이 되어서 공부하려고 하면 어려움을 겪게 됩니다. 열심히 공부해 본 경험이 부족하기 때문에 어떻게 공부해야 할지 모르기 때문입니다. 하지만 중학교 내신 대비를 위해 열심히 공부해 보면 자신을 파악하는 데 큰 도움이 됩니다. 자신이 아침과 밤 중 언제 더 공부가 잘되는지, 암기를 잘하는 편인지, 못하는 편인지, 국영수사과 중 어떤 과목을 어려워하는지, 공부에 집중할 수 있는 시간이 최대 몇 시간인지를 스스로 파악할 수 있게 됩니다. 이렇게 중학교 3년 동안 공부 경험을 쌓으면서 자신만의 공부 습관과 패턴을 알게 된다면, 고등학생이 되어서는 시행착오 없이 좀 더 효율적이고 자신에게 맞는 방법대로 공부할 수 있게 됩니다. 그러니 중학교 내신 공부는 지식적인 부분도 중요하지만, 스스로 열심히 공부하는 경험을 통해 공부 습관과 패턴을 고등학교 진학 전에 미리 파악할 수 있다는 점에서 중요한 역할을 합니다.

중학교 내신에서 좋지 않은 성적을 받아도 괜찮습니다. 무조건 좋은 성적을 받아야 고등학교 때 잘할 수 있는 것은 아닙니다. 다만, 중학교 교과 내용을 열심히 공부하면 고등학교 교과 내용을 공부할 때도 도움이 되고, 중학교 3년 동안의 공부 경험이 자신의 공부 패턴과 습관을 파악하는 데 도움이 되는 만큼 중학교 내신 공부를 게을리하지 말고 충실하게 다져야 함을 명심합니다.

고등학교 진학 전
5

그밖에 중학교 때
해 두면 좋은 것은?

중학교는 고등학교보다 여유로운 시기입니다. 중학생 때는 대학 입시에 대한 고민이 크지 않고, 중학교 내신 성적이 대학 입시에 영향을 미치는 것도 아니기 때문입니다. 그러니 중학교 때는 물론 공부도 열심히 해야 하지만, 고등학생이 되면 하기 힘든 것들 또는 고등학생이 되기 전에 하면 좋은 것들을 해보는 시간을 가져 봅니다. 제 경험을 바탕으로 정리한 고등학생이 되기 전에 하면 좋을 4가지를 읽어 보고 참고하면 좀 더 알찬 중학교 생활이 될 것입니다.

첫째, 자신에게 맞는 내신 학원이나 과외를 찾습니다. 고등학교 내신 공부는 다양한 변형 문제를 푸는 것이 중요하고, 이를 위해서 학원이나 과외를 활용하는 것이 일반적입니다. 그래서 중학교 때는 학원에 다니지 않다가 고등학교 때부터 다니기 시작하거나 아니면 고등학교 때 학원을 바꾸는 경우도 많습니다. 하지만 고등학교의 내신 성적은 대학 입시와 연결되는 만큼, 이 시기에 자신에게 맞지 않아 큰 도움이 되지 않는 학원에 다니며 시간을 낭비해서는 안 됩니다. 그러니 중학교 때 자신에게 잘 맞는 내신 학원 또는 과외를 찾아서 미리 적응하고, 고등학교 때는 다니던 곳을 계속 다니는 것이 좋습니다.

둘째, 자신만의 확실한 취미를 찾습니다. 고등학교 생활은 생각한 것보다 더욱 힘들 수 있습니다. 단순히 공부만 하는 게 아니라 각종 수행평가, 대회, 동아리 활동 등 내신 이외에도 해야 할 것이 많습니다. 이러한 빡빡한 고등학교 3년 생활을 잘 이겨내려면, 자신만의 확실한 취미 활동이 필요합니다. 맛집을 찾아가거나, 영화를 보거나, 노래를 듣는 등 무엇이 되었든 스트레스를 해소할 수 있는 자신만의 취미 활동을 만들어야 합니다.

셋째, 가족과 여행을 갑니다. 물론 여행을 갈 수 있는 상황이 되어야겠지만, 중학생 시기에 가족 여행을 되도록 많이 가도록 합니다. 간혹 고등학교에 진학해서 좋은 성적을 받고 싶다는 욕심에 중학교 때 열심히 공부만 하는 학생들도 있습니다. 물론 열심히 공부하는 것도 좋지만, 아직은 여유 있는 시기인 만큼 꼭 여행이 아니더라도 되도록 가족들과 나들이나 운동을 같이 하는 등 시간을 함께 보내기를 추천합니다. 고등학생이 되면 여행을 갈 여유가 없고, 대학생이 되면 주로 친구들과 여행을 가며, 기숙사 및 자취 생활을 시작하면서 가족과 시간을 보낼 여유가 점점 줄어들기 때문입니다. 그러니 중학생 때 가족과 시간도 많이 보내고, 함께 여행도 가는 것이 가족과 오래도록 기억될 좋은 추억을 만드는 기회가 될 것입니다.

마지막으로 미래에 대한 고민을 충분히 해봅니다. 고등학교 3년간 내신 및 수능 공부에 집중하고, 바쁜 학교생활을 하다 보면 자신의 진로에 대해 깊이 고민할 시간이 생각보다 없습니다. 그렇다 보면 성적에 맞추어 대학에 지원하고, 결국 뚜렷한 목표 없이 대학에 진학합니다. 그러니 중학생 때 미래에 대한 고민을 충분히 하는 시간을 갖는 게 꼭 필요합니다. 평소에 관심 있었던 분야를 다룬 책이나 드라마, 영화를 보거나 박물관, 미술관 등을 찾아가 보며 희망하는 진로를 찾아보는 것도 좋은 방법입니다. 고등학교 진학 전에 '나는 미래에 어떤 일을 하고 싶은가?'라는 고민을 깊이 한다면 뚜렷한 공부 목표를 설정하는 데 많은 도움이 될 것입니다.

의대 1학년은 무엇을 배울까?

의대 1학년 1학기에 배우는 과목

막상 의대에 들어가면 어떤 수업을 하고, 무슨 과목을 배우는지 궁금해하는 학생들이 많았습니다. 먼저 제가 다니는 중앙대 의대를 기준으로 살펴보겠습니다.

1학년 1학기 때 전공과 관련된 공부로는 〈일반화학〉과 〈일반생물학〉을 배웁니다. 일반화학과 일반생물학은 고등학교 때 배우는 화학과 생명과학 과목을 복습하는 측면이 더 강합니다. 만약 고등학교 때 내신과 수능에서 화학과 생명과학 과목을 공부하지 않았다면 어려움을 느낄 수 있으니 의대에 합격한 후 겨울방학을 이용해 고등 개념서로 가볍게 개념을 접하고 가는 것이 도움이 됩니다.

그리고 〈일반화학실험〉과 〈일반생물학실험〉은 조별로 주어진 실험을 진행하는 과목입니다. 실험의 난이도는 고등학교 때와 비슷하거나 조금 더 어려운 수준이고, 조별로 진행하는 활동인 만큼 의대 동기들과 더 많은 이야기를 나누고 친해지는 시간을 가질 수 있습니다. 실험을 한 뒤에는

2021년 1학기 시간표

Time	월	화	수	목	금
9	일반화학	글쓰기	일반 생물학실험(1)	앙트레프레너십 시대의 회계	식품과 건강
10					
11					
12		Communication in English		Communication in English	글로벌 한자
1	일반화학실험				
2			일반생물학(1)		
3	건강한 삶	컴퓨팅적사고와 문제 해결		창의와 소통	
4			의사와 사회(A)		
5					

리포트를 써서 제출해야 하고, 리포트는 큰 전문성을 요구하기보다는 조별로 실험했던 내용을 위주로 쓰며, 이 중에 중요한 부분은 '결과에 대한 고찰'입니다. 실험 결과에서 어떤 오차가 발생했고, 어떻게 그 부분을 보완할지에 대한 고찰이 중요한 평가 요소가 됩니다.

〈의사와 사회〉 역시 전공 관련 과목입니다. 〈의사와 사회〉는 최근 의사에게 실력만큼 인성이 강조되기 때문에 의사의 올바른 역할을 배우는 데 초점을 맞춘 과목입니다. 1학기 때는 총 3권의 책을 읽고, 그 책의 내용을 바탕으로 시험을 봅니다. 《의학, 인문으로 치유하다》, 《만약은 없다》, 《4차 산업혁명과 병원의 미래》 등의 책이 선정됩니다.

그리고 1학년 1학기 때는 필수 과목으로 〈앙트레프레너십 시대의 회계〉, 〈글쓰기〉, 〈Communication in English〉, 〈컴퓨팅적 사고와 문제 해결〉을 배웁니다. 특히 요즘에는 어떤 과로 대학을 진학하든 사업가적 기질을 갖추는 것이 강조되는 만큼, 회계를 배우는 것이 유익했고, 〈스크래치/파이썬〉 같은 코딩 수업과 영어 원어민 선생님이 진행하는 영어 회화 수업인 〈Communication in English〉도 흥미로운 수업 중 하나였습니다.

의대 1학년 2학기에 배우는 과목

1학년 2학기 때 배우는 전공 과목은 〈고급유기화학〉, 〈일반생물학〉이 있습니다. 〈일반생물학〉은 1학년 1학기 때 배우던 내용의 연장선이고, 〈고급유기화학〉은 1학년 1학기 때 배운 〈일반화학〉보다는 난이도가 높아졌지만, 고등 화학1, 화학2 범위에서는 크게 벗어나지 않는 정도였습니다. 그리고 또 다른 전공 과목으로는 〈세포분자생물학〉, 〈실험생물학실험〉, 〈일반생물학실험〉, 〈실험생물학〉, 〈의사와 사회〉가 있습니다. 실험 과목은 1학기 때와 비슷했고, 〈실험생물학〉은 실험에 사용되는 동물들의 세부적인 특징이나 실험의 주의점 등 실험 관련 이론들을 주로 학습했습니다. 〈의사와 사회〉 과목은 책 3권을 읽었던 1학기와 달리 정형외과, 흉부외과 등 파트별 현직 의사분들이자 교수님들이 직접 강의했습니다. 그리고 가장 어렵고 배울 게 많았던 과목은 〈세포분자생물학〉이었습니다. 〈세포분자생물학〉은 말 그대로, 세포 내에서 일어나는 활동들을 '분자 수준'에서

2021년 2학기 시간표

Time	월	화	수	목	금
9	의사와 사회(B)		액트(ACT)	고급유기화학 (영어A강의)	
10					
11	실험생물학 (영어A강의)				일반생물학(2)
12					
1	다빈치 명저 읽기				
2					
3	실험생물학 실험	대학 한문	세포분자 생물학	한국사	일반생물학 실험(2)
4					
5					

이해하는 학문으로 생소한 개념이 많았습니다. 그래서 수업을 들은 후에도 당일 꼭 복습해야만 이해할 수 있었습니다. 이런 과목들은 어렵기도 했지만, 고등학교 때와는 다른 새로운 내용을 배우는 점이 좋았습니다.

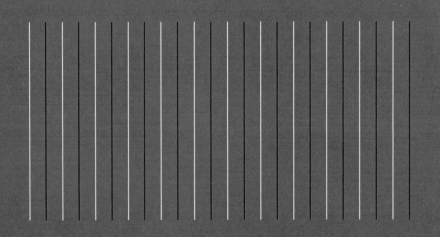

2장

의대로 향하는
학습 기본 자세

공부는
왜 해야 할까?

내 등수가 올라가면 누군가의 등수는 내려가고 누군가의 등수가 올라가면 내 등수는 내려가는, 공부는 일종의 '경쟁'입니다. 이러한 '경쟁'이라는 요소 때문에 공부에 거부감을 가진 학생들도 적지 않습니다. 끊임없는 경쟁, 그 속에서 쌓이는 심리적 스트레스에 대한 부담감은 우리를 공부로부터 더욱 멀어지게 하는 요인이 됩니다.

하지만 우리는 주어진 시기에 꼭 공부를 해야 합니다. 공부는 우리를 원하는 진로로 이끌어 주기도 하지만 가장 큰 이점으로는 자신의 지적 성장과 내적 성장을 이루어 주기 때문입니다.

먼저 스스로 공부를 해야 할 이유를 찾기 위해서 '공부는 타인과의 경쟁이다'라는 생각부터 버려야 합니다. 물론 공부한 후 시험을 통해 다른 사람과 경쟁하는 것은 맞지만, 그것보다 더 중요한 것은 공부가 자신과의 싸움이라는 것입니다. 자신의 한계를 극복하고 좀 더 큰 '앎'을 향해 가며, 그렇게 우리는 지적인 성장을 이루게 됩니다.

또 우리가 원하는 목표를 이루고, 하고 싶은 일을 하기 위해서는 그 분야에 대해 많이 아는 것이 중요합니다. 결국, 그러한 것들의 기반이 되는 것이 중고등학교 때의 공부입니다. 이 시기에 성실히 공부해서 최대한 다양한 지식을 쌓아둔 후, 대학에 진학한다면 여러분은 인생의 목표에 좀 더 빨리 다가갈 수 있을 것입니다. 그리고 공부는 단기간에 끝나는 것이 아니라, 오랜 기간 부족한 부분을 채우면서 수련하는 과정이기 때문에 인내심과 끈기를 배우고, 이 과정에서 내적인 성장을 이루게 됩니다.

결국 공부의 표면적인 목적은 '시험을 잘 보고 다른 사람들보다 좀 더 높은 점수를 받는 것'이라고 여길 수 있지만, 공부의 본질적인 목적은 '자신을 좀 더 멋진 사람으로 성장하게 만드는 소중한 과정'이 됩니다. 그러니 앞으로 타인과의 경쟁으로 인해 스트레스를 받기보다는 '지금 내가 하는 공부는 나를 지적, 내적으로 더욱 성장하게 만드는 시간이구나!' 하고 여기기를 바랍니다. 그러면 공부는 억지로 해야 하는 것이 아니라 '나를 위한 인생의 중요한 한 과정'이 될 것입니다.

인간이 살면서 해야 할 공부의 총량은 정해져 있다.

저는 '공부 총량 불변의 법칙'이 있다고 믿습니다. 초등학교 때 공부를 하지 않으면, 중학교에 올라가서 초등학교 때 하지 않은 공부를 해야 합니다. 또 중고등학교 시기에 열심히 공부를 했다면, 대학에 진학해 좀 더 나은 조건의 회사에 취업할 수 있겠지만 그렇지 않다면 취업을 위해 좀 더 큰 힘을 들여야 하겠지요. 이렇듯 우리가 인생을 살면서 해야 할 공부의 총량은 정해져 있다고 생각합니다. 단지 그 공부를 '언제' 하느냐의 차이입니다.

우리가 중고등학교 시기에 공부하지 않으면, 결국 성인이 되어 그만큼 공부해야 할 수도 있습니다. 그런데 이렇게 반문할 수 있습니다.

"저는 중고등학교 때 공부하기 싫으니까, 지금 안 하고 성인이 되어서 하면 안 될까요?"

하지만 자라나는 청소년과 성인을 비교해 봅시다. 청소년 시기에는 뇌가 계속해서 성장하고 발달하기 때문에 공부가 훨씬 효율적입니다. 그리고 성인이 되면 당장 눈앞에 놓인 생계를 위한 활동부터 미래에 대한 고민이 많아집니다. 반면 중고등학교 시기에는 부모님의 지원과 학교의 울타리 내에서 오직 공부에만 집중할 수 있는 인생에서 몇 안 되는 소중한 기회인 셈입니다.

그러니 만약 공부가 하기 싫어질 때는 '공부 총량 불변의 법칙'을 떠올려 보길 바랍니다. 지금 공부를 하지 않으면, 결국 나중에 직장을 다니다가, 아이를 키우다가, 이런저런 고민이 많은 성인이 되었을 때 예전처럼 공부가 잘 안된다고 느껴지는 머리를 억지로 써 가며 공부해야 합니다. 그럴 바에 차라리 효율성이 훨씬 높고, 오로지 공부에만 집중할 수 있는 중고등학교 시기에 공부에 집중하는 것이 좋겠다고 생각한다면, 공부를 열심히 해야 하는 이유를 한 가지 더 찾은 것입니다.

지금부터라도
공부를 잘하고 싶다면?

공부를 어떻게 해야 하는지 아무리 열심히 설명하더라도, 스스로 공부하려는 의지가 없다면 아무런 도움이 되지 않습니다. 어차피 공부는 자기와의 싸움이기 때문입니다. 자신이 왜 공부해야 하고, 성적을 올려서 얻고 싶은 최종 목표가 무엇인지 명확히 설정하는 것은 본격적으로 공부를 시작하기 전에 꼭 해야 할 일입니다.

저 역시 어릴 때부터 공부를 좋아했던 학생은 아니었습니다. 공부를 해야 한다고 하니 했어도, 왜 해야 하는지에 대해서 알지 못했고, 공부에 흥미를 느끼기보다는 그저 책임감으로 묵묵히 할 뿐이었습니다. 그러다가 중학교 2학년 때 'DMZ 캠프'에 참여할 기회가 있었습니다. 전라도 지역에 거주했던 저는 캠프가 열렸던 경기도 파주 지역으로 왕복 10시간가량 버스를 타고 이동했었습니다. 그렇게 장시간 버스를 탄 게 처음이었지만, 'DMZ 캠프' 내내 즐겁게 시간을 보냈습니다. 하지만 무리한 여행 탓인지 집에 돌아온 뒤로 귀에서 이명이 들리기 시작했습니다. 처음 겪는 현상이었기에 굉장히 무섭고 두려웠습니다. 이비인후과를 방문해보니 '급성 저음형 난청'이었고, 고막에 직접 주사를 놓으면서 한두 달 동안 치료를 받아야 하는 가볍지 않은 증상이었습니다.

귀에 이명이 시작되며 일상생활이 불편해졌습니다. 어린 나이에 심적으로 굉장히 힘들었고, 앞으로 받아야 할 치료에 대한 두려움도 컸습니다. 또 고막에 직접 주사를 놓는다고 생각하니 정말 무서웠습니다. 하지만 그 당시 이비인후과 의사 선생님은 제 불안한 감정과 생각을 경청해 주시며 부드러운 말투와 확신 있는 태도로 저를 응원해 주셨습니다. 그렇게 불안한 마음을 달래며 치료에 매진한 결과, 저는 다시 예전처럼 건강한 상태로 돌아갈 수 있었습니다. 몸이 아플 때 누군가의 말 한마디와 따뜻한 위로가 얼마나 큰 힘이 되는지 그때 깨달을 수 있었습니다. 그것도 전문가의 말과 행동은 아픈 환자들에게 더욱 절실한 것이라는 생각이 들었습니다. 그때 의사라는 직업을 다시 보게 되었습니다.

그 이후, 저는 사람들과 소통하고 많은 사람에게 도움을 줄 수 있는 의사가 되고 싶다는 목표를 세우게 되었습니다. 그리고 의대를 목표로 열심히 공부에 집중하기 시작했습니다.

그런데 고등학생이 되어 열심히 공부하던 중에, 일종의 슬럼프가 찾아왔습니다. 내가 공부를 왜 이렇게 열심히 해야 하는지, 정말 의대에 가고 싶은 건 맞는지에 대한 회의감이 들면서 공부가 점점 하기 싫다는 생각이 들었습니다. 그때 어느 선생님에게 이런 말을 듣게 됩니다.

"지방에서 아무리 성적이 잘 나와도 어차피 서울로 의대는 못 간다. 그러니 너무 욕심부리지 말고 하던 대로 해라."

서울에 있는 의대로 진학하는 것을 목표로 할 때 이렇게 부정적인 선생님의 말씀을 들으니 오히려 지금보다 더욱 열심히 공부해서 당당하게 서울에 있는 의대에 합격해 스스로 증명하고 싶다는 오기가 생겼습니다. 선생님의 현실적인 말씀이 제게 자극이 된 것입니다. 그 덕분에 저는 남은 고등학교 기간에 누구보다 열심히 공부했고, 결국 중앙대 의대에 합격해 지방에서는 서울로 의대에 가기 힘들다는 선입견을 깨고 목표를 이룰 수 있었습니다.

결국 공부를 열심히 하기 위해서는 자신이 왜 공부를 해야 하는가에 대한 깊은 고민, 그리고 공부에 대한 확실한 동기 부여가 필요합니다. 그러니 펜을 잡기 전에 자신이 과연 왜 공부를 해야 하고, 목표는 무엇인지에 대해 깊이 있게 고민해야 합니다. 지금처럼 그저 해야만 해서 하는 공부를 할 때보다 인생의 방향을 정하고 목표를 향해 달려간다면, 그 결과는 더욱 만족스러울 것입니다.

시험에서 실수를 줄이는 가장 효과적인 방법은?

중학교 1학년 때, 시험이 끝나고 펑펑 울었던 기억이 있습니다. 그 시험은 중학교에 입학한 뒤에 처음으로 치렀던 첫 중간고사였습니다. 저는 첫 시험인 만큼 정말 잘보고 싶은 마음에 평소보다 더욱 열심히 공부했고, 그만큼 성적이 오를 것이라는 큰 기대 속에 시험에 임했습니다. 하지만 사건은 '국어 시험'에서 발생했습니다. A라는 지문을 읽고 세 문제를 풀어야 했는데, B라는 지문을 읽고 세 문제를 푼 것이 사단이었습니다. 아예 다른 지문을 읽고 문제를 풀었으니, 세 문제를 모두 틀리고 말았습니다. 결국 기대했던 성적은 받지 못했습니다. 정말 몰라서 틀린 게 아니고 지문을 잘못 봐서 놓친 것이며, 또 그 세 문제가 어렵지 않은 높은 정답률의 문제들이었기에 저는 몇 배로 속상했습니다. 특히 중학교 입학 후 첫 시험이어서 너무 속상한 나머지 집에서 혼자 이불을 뒤집어쓰고 펑펑 울고 말았습니다.

한 과목에서의 실수는 다른 과목에 영향을 주기도 하고, 그다음 시험에서도 또다시 실수할 것이라는 불안감에 휩싸여 집중력이 흐트러질 수도 있습니다. 그러니 시험에서는 최대한 실수를 하지 않는 게 답입니다. 다음은 그때 이후로 실수를 줄이기 위해 제가 하는 방법입니다.

평소에 검토하는 습관들이기 〜〜〜

우리는 실수를 줄이기 위해 시험 문제를 풀고 난 후 검토합니다. 그런데 문제는 평소에 공부할 때는 한 번도 검토를 하지 않다가 시험 때만 검토를 한다는 것입니다. 즉, 검토가 습관이 되어 있지 않으니 검토하는 과정이 낯설고 실전에서 검토해도 실수를 잡아내기 힘들어집니다. 그러니 평소 문제집을 풀 때 문제를 풀고 바로 채점하는 대신에, 시간을 5-10분만 더 투자해서 검토하는 습관을 들이도록 합니다. 실제 시험을 볼 때도 자연스럽고 빠르게 검토할 수 있게 되어 실수를 크게 줄일 수 있습니다.

주어진 시간 내에 문제 푸는 연습하기 〜〜〜

우리가 시험을 볼 때 실수하는 이유 중 하나는 문제를 급하게 풀기 때문입니다. 문제를 급하게 풀다 보면 평소에 알고 있던 것도 잘 못 보고 실수를 합니다. 결국 실수를 줄이려면 문제를 '급하게' 풀지 않는 것이 중요하고, 급하게 풀지 않으려면 평소에 주어진 시간 내에 문제 푸는 연습을 반복해야 합니다.

보통 시험공부를 할 때 한 문제당 시간을 정해 두고 풀지는 않습니다. 그러니 평소에는 시간 압박 없이 편하게 문제를 접하니 실수할 일도 적습니다. 하지만 실제 시험은 시간 압박이 크고, 그 부담감은 상당합니다. 그렇다면 결국 시간 압박을 이겨내는 연습이 필요합니다. 저는 이를 위해 문제집에서 25문제 정도를 정해 두고 실제 시험 시간(고등학생은 50분) 내로 풀며 답안지 마킹까지 완료하는 연습을 과목별로 최소 2-3회 진행했습니다. 답안지도 인터넷에서 별도로 구매하거나 프린트하여 컴퓨터용 사인펜으로 실제와 동일하게 마킹하는 연습을 했습니다. 이처럼 평소에 시간 압박에 대한 충분한 연습이 되어 있어야 실제 시험에서도 덜 긴장하고 실수 없이 문제를 풀 수 있습니다.

선택한 번호는 반드시 써 두기 〰〰〰

우리가 답안지에서 마킹 실수를 하는 대표적인 이유 중 하나는 시험지에 쓴 답을 답안지로 옮겨 쓰는 과정에서 잘못 쓰는 경우가 대부분입니다. 급하게 문제를 풀다 보면 1-5번 선지에 낙서하듯 빠르게 체크하고 넘어가곤 하는데, 이렇게 한 상태에서 나중에 답안지로 옮겨 적을 때 잘못 보고 실수하게 됩니다. 저 역시 이런 경우가 많아서 문제를 풀면 답을 체크한 다음에 선택한 번호를 문제 옆에 크게 써 두기 시작했습니다. 그렇게 했더니 답안지 마킹에서 실수하는 일이 사라졌습니다.

실전에서 실수는 치명적입니다. 다른 과목 시험에 영향을 주고, 나아가 그 이후의 시험을 볼 때 실수에 대한 불안감을 키웁니다. 그러니 실수에 대한 확실한 훈련이 필요합니다. '평소에 검토하는 습관들이기', '주어진 시간 내에 문제 푸는 연습하기', '선택한 번호는 반드시 써 두기' 이렇게 3가지 방법을 실천한다면, 실수를 줄이는 데 많은 도움이 될 것입니다.

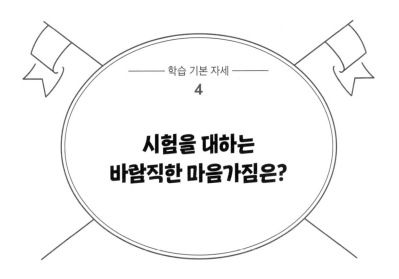

시험을 대하는
바람직한 마음가짐은?

저는 항상 내신 시험을 앞두고 불안에 떨었습니다. 대체 선생님
이 어떤 문제를 낼지, 만약 공부하지 않은 내용이 시험에 나오면 어
쩌나 하는 걱정을 하곤 했습니다. 그러다 보니 내신 시험 기간에 아
무리 열심히 공부해도 내가 정말 잘하고 있는지에 대한 확신이 없었
기에 늘 마음이 힘들었습니다. 그래서 저는 마냥 어렵다는 생각만
하지 말고 거꾸로 내신 시험이 수능에 비해 어떤 점이 더 좋은지, 내
신 시험만의 장점을 찾아보기로 했습니다. 그러자 내신은, 누가 출
제하는지 정확히 알지 못하는 수능과 달리 학교 선생님이 출제하
는 것이고, 특히 수업을 진행한 선생님이 출제까지 동시에 진행한

다는 단순하면서도 중요한 특징을 깨달았습니다. 그러고 나니 내신 시험을 준비할 때의 마음가짐을 정리할 수 있었습니다.

바로 '성선설'을 믿는 것입니다. 맹자가 주장한 성선설은 '모든 인간은 처음 태어날 때 착하게 태어난다'라는 학설입니다. 저는 이 '성선설'이 내신 시험을 준비하고 치르기까지에 많은 도움이 되었습니다. 학교 선생님들은 학생들이 내신 시험에서 모두 시험을 잘 보고 좋은 등급을 받아 대학에 잘 가기를 바라는 마음일 것입니다. 그리고 선생님들은 무엇보다 수업을 열심히 들은 친구가 시험을 더 잘 보길 바랄 것입니다.

그러니 '내신 시험'은 우리를 일부러 힘들게 하고 불행하게 만들기 위한 시험이 아니라, 여러분이 수업을 열심히 들은 만큼 원하는 결과를 얻게 하려는 목적이 있다는 것입니다. 이런 관점에서 내신 시험을 바라본다면, 내신 문제들은 어려운 문제가 아닙니다. 겉으로 보기에는 어렵게 보여도, 그 속에는 이미 선생님이 수업 시간에 설명하신 내용이 담겨 있으며, 그걸 알아차릴 수 있도록 선생님이 문제 속에 힌트를 넣어 두셨음을 예측할 수 있습니다. 물론 어떤 학생들은 최고난도 '킬러 문제'에 대해서는 '성악설'을 말하며 선생님들이 일부러 틀리게 하려고 내는 게 아니냐고 반문하기도 합니다. 하지만 결국 '킬러 문제'도 공부를 더 열심히 한 친구들이 맞출 수 있도록 난이도의 변별을 위해 출제한 것이기 때문에 학생들을 배려하는 선생님의 마음이 전혀 없다고 볼 수 없습니다. 결국 내신 시험은 우리를 힘들게 하려는 목적이 아니라 우리가 대학 또는 고등학교에 잘 진학할 수 있도록 도와주기 위한 시험이라는 걸 기억합시다.

또 성선설에 따라 학교 선생님들은 학생들이 시험에서 좋은 성적을 받길 원하기 때문에 어려워 보이는 문제도 무조건 그 문제를 풀수 있는 단서들이 있을 거라고 믿고 접근하는 것이 좋습니다. 이처럼 성선설을 믿으면, 내신 시험에서 문제가 어려워 보인다고 쉽게 좌절하지 않고, 끝까지 최선을 다해 문제를 풀어 볼 힘이 생깁니다. 분명히 수업 시간에 수업한 내용이 담겨 있고, 힌트도 들어가 있다고 믿기 때문입니다. 이런 생각으로 내신 시험에 임한다면 좀 더 긍정적인 마음과 의지로 시험 문제를 풀 수 있습니다.

그렇다면 수능은 어떤 특징을 가지고 있을까요? 수능은 몇십만 명의 학생들이 동시에 보는 시험이기 때문에 내신보다 더 문제가 정교합니다. 또한 수많은 학생이 '모두 납득할 수 있는 문제여야 하기에 문제에 '명확한 힌트'를 줄 수밖에 없습니다. 즉 수능 및 모의고사 공부를 할 때도 '성선설'을 믿는 것이 문제를 푸는 데에 도움이 됩니다. 수능을 출제하는 평가원은 당연히 더 열심히 공부한 학생들이 문제를 맞힐 수 있게 노력할 것입니다. 그리고 기출문제를 분석한다는 것은 결국 평가원이 그동안 어떻게 학생들에게 단서와 힌트들을 알려 줬는지를 공부하는 것과 같습니다. 그러니 앞으로 모의고사와 수능을 볼 때, 그리고 공부하면서도 늘 평가원은 우리 편이고, '성선설'의 관점에서 우리가 시험을 잘 보길 원하는 존재라는 것을 기억합시다. 무엇보다 이렇게 믿어야 문제 속 단서들이 더 잘 보이게 된다는 사실을 명심하세요.

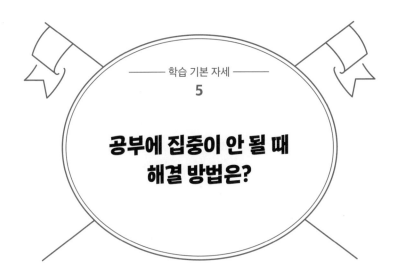

공부에 집중이 안 될 때 해결 방법은?

중학생 때 저는 집중력이 좋은 학생이 아니었습니다. 혼자서 공부할 때는 자꾸 스마트폰을 들여다보고, 노트북으로 인강을 듣다가도 유튜브나 뉴스 기사로 넘어가 버려서 공부 효율을 망치는 경우도 많았습니다. 아직 시험 분량이 많지 않았던 중학 시절까지는 괜찮은 성적을 유지할 수 있었지만, 고등학생이 되면서부터는 좀 더 집중력 있게 공부해야겠다는 생각이 들었습니다. 그때부터 저만의 '집중력 높이는 방법'들을 연구하기 시작했습니다. 그 결과, 같은 시간 안에서 좀 더 효과적으로 집중력을 높여서 공부할 수 있었고, 이는 좋은 성적으로 이어졌습니다. 대부분 학생은 공부를 하다가 자꾸만 집중력이 흐트러져서 고민인 순간들이 있을 것입니다. 그럴 때 여러분이 좀 더 공부에 집중할 수 있도록, 제가 실제로 사용했던 3가지 공부 집중 방법에 대해 알려 드리겠습니다.

　우선 첫째는 '공부하는 장소를 바꾸는 것'입니다. 대부분 자신이 가장 선호하는 공부 장소를 하나쯤은 가지고 있을 것입니다. 저는 학교에서는 도서관보다는 주로 교실에서 공부하는 것을 좋아했고, 주말에는 집이나 도서관보다는 카페에서 공부하는 것을 좋아했습니다. 이렇듯 자신이 좋아하는 공부 장소가 있더라도, 가끔은 지루함을 떨치고 좀 더 집중할 수 있는 분위기를 만들기 위해서 공부 장소를 바꾸어 주는 것도 좋습니다. 어느 장소든 한곳에 계속 머물게 되면 그 장소가 익숙해져 지겨움을 느낄 수 있기 때문입니다. 예를 들어 교실에서라면, 자리에 앉아서 공부하는 것과 스탠딩 책상에 서서 공부하는 것을 번갈아서 하거나, 주말이라면 집, 카페, 도서관, 독서실 등을 번갈아서 이용하면 효과적입니다. 물론 현재의 장소에서 집중이 가장 잘 된다면 굳이 옮길 필요는 없지만, 집중이 안 될 때는 공부 장소를 바꾸어 주는 게 좋습니다.

　둘째는 주기적인 휴식 시간을 만드는 것입니다. 고등학생 중에는 해야 할 공부가 많아서 쉬지 않고 계속 공부만 하는 학생들도 있습니다. 하지만 쉬지 않고 공부만 하다 보면 공부에 싫증을 느끼거나 더 극단적으로는 번아웃, 슬럼프로 이어질 수도 있습니다. 그렇기에 반드시 '주기적인 휴식 시간'을 설정하는 것이 좋습니다. 학교의 수업 시간만 보아도 50분 동안 수업을 하고 10분 동안 휴식 시간을 갖는 것을 알 수 있습니다. 현재 제가 듣는 의대 수업도 3시간 수업을 진행할 때 50분 수업을 한 뒤 10분 동안 휴식을 취하는 것을 기본으로 합니다. 그러니 스스로 공부할 때도 50분 공부 후 10분 휴식 또는 2시간 공부 후 20분 휴식 등 본인만의 주기적인 휴식 시간을 정해서 지켜봅니다.

셋째는 뇌파 영상을 활용하는 것입니다. 저는 공부에 집중이 안될 때 유튜브에서 공부에 도움이 되는 뇌파 영상을 찾아 들으면서 공부하곤 했습니다. 이 뇌파 영상을 들으면 뭔가 마음이 편안해지고 집중이 더 잘 되는 느낌이 들어서 고등학교 때도 자주 활용했습니다. 의대에 다니는 지금도 집중이 필요할 때는 늘 뇌파 영상을 틀어 두고 들으면서 공부하고 있습니다. 여러 연구 결과에 따르면 뇌파에 영향을 미치는 다양한 소리가 심리적 안정과 주의력 향상에 효과가 있다고 합니다. 제가 공부에 집중할 때 도움을 받았던 방법이기에 여러분에게도 추천합니다. 저는 주로 유튜브 채널 중 〈잠박사〉의 뇌파 영상들을 활용했으며, 여러분도 자신에게 맞는 영상을 찾아서 활용하는 것을 추천합니다.

잘하고 있는지
불안한 마음이 들 때는?

시험 날이 하루하루 다가올수록 불안감에 휩싸일 때가 있습니다. 혹시 이번 시험을 준비하면서 잘못된 방향으로 공부한 것은 아닌지, 혹시 공부하지 않은 부분이 나오는 건 아닌지, 여러 생각이 들면서 불안을 느끼기 쉽습니다. 더욱이 자신이 공부를 잘하고 있다는 객관적인 증거가 없으니 불안감이 더욱 커질 수 있습니다. 그래서 저는 나름대로 시험을 앞두고 공부를 잘하고 있음을 알 수 있는 객관적인 증거를 만들기로 했습니다. 다음은 제가 중고등학교 때 늘 시험을 앞두고 공부를 잘하고 있는지를 확인하기 위해 사용하였던 3가지 근거입니다.

스스로 잘하고 있는지 확인하기 위해 만들었던 첫 번째 근거는 '마음이 불안하다'는 것입니다. 혹시나 시험을 못볼까 봐 마음이 불안하다면, 이미 공부를 열심히 하고 있는 것입니다. 아예 공부도 안 하고 시험에 대한 열정도 없는 학생들은 오히려 마음이 불안할 일이 없습니다. 애초에 시험 성적에 대한 기대가 없기 때문입니다. 시험을 앞두고 불안하고 걱정이 된다는 것은 그만큼 이번 시험을 위해서 누구보다 열심히 준비했기에, 성적이 잘 나오기를 바라는 마음에서 생기는 것입니다. 노력에 비해 결과가 잘 나오지 않을까 봐 걱정이 되는 것은 오히려 공부를 열심히 했다는 증거가 됩니다. 그러니 앞으로 시험을 앞두고 불안감을 느낀다면, '내가 공부를 열심히 했구나!' 하며 긍정적 신호로 받아들여 봅시다.

두 번째로는 아직도 할 공부가 많이 남았다고 느껴지는 것입니다. 시험이 1, 2주밖에 안 남았는데, 아직도 할 공부가 많이 남았다고 느껴져 초조해질 때가 있습니다. 저 역시 고등학교 때 늘 그런 조바심이 들었는데, 그 이유는 여태껏 한 공부량이 부족해서가 아니라, 공부를 더 열심히 하려는 열정이 크다 보니 공부를 하면 할수록 하고 싶은 공부가 더 많아지기 때문이었습니다. 애초에 공부를 열심히 하지 않았다면, '교과서만 몇 번 넘겨 보면 되겠지.'라는 안일한 생각으로 공부량에 대한 부담감도 없었을 것입니다. 원래 공부는 끝이 없기에, 우리가 공부를 열심히 하면 할수록 해야 할 공부가 더 많이 남았다고 느껴지는 것입니다. 그러니 앞으로는 이러한 생각이 들면, 자신이 공부를 잘하고 있다는 증거로 여깁니다.

세 번째 근거는 친구들이 나보다 더 열심히 공부하는 것 같다는 생각이 드는 것입니다. 그런 생각이 든다면 이미 올바른 방향으로 나아가고 있는 것입니다. 만약 공부를 열심히 안 했다면, 주변 친구들이 공부를 열심히 하는지 안 하는지 관심도 없고 신경이 쓰이지도 않습니다. 하지만 스스로 공부를 열심히 하다 보니 주변 친구들은 어떤 공부를 하고 있는지, 나보다 더 많이 했는지가 신경 쓰이기 시작하고, 뭔가 자신보다 더 열심히 하는 것 같다는 생각도 드는 것입니다. 이럴 때는 자신이 이미 열심히 공부하고 있다는 증거로 받아들이고, 오히려 주변 친구들을 보면서 자극을 느끼고 더욱 분발하면 좋겠습니다.

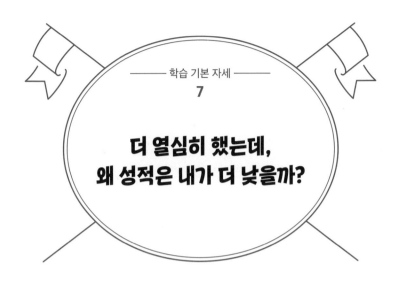

더 열심히 했는데, 왜 성적은 내가 더 낮을까?

우리가 평소에 많이 쓰는 '만큼'이라는 표현은 공부에 있어서 그다지 도움이 되지 않는 표현입니다. '만큼'이라는 표현에는 다음 두가지 사례에서 보듯 위험성이 있습니다.

많은 학생이 시험이 끝나고 나서 '나도 저 친구만큼 열심히 공부했는데, 왜 저 친구보다 성적이 낮을까?' 하고 생각합니다. 저는 이런 의문에 대해 이렇게 결론을 내렸습니다. '내가 저 친구'만큼'만 공부했기 때문에 성적이 더 좋게 나오지 않았구나!' 하는 것입니다. 나보다 공부를 잘하는 친구, 나보다 머리가 더 좋은 친구보다 성적이 좋게 나오려면, 그 친구만큼만 공부해서는 절대로 불가능합니다. 그 친구보다 더 열심히, 더 독한 마음으로 공부해야 합니다. 매 시험을 준비하면서, 자신이 공부를 잘하는 저 친구만큼 공부를 열심히 했다는 것에 절대로 안주하지 말아야 합니다. 다른 친구들과의 차별화가 있어야 그들보다 더 좋은 성적을 낼 수 있습니다. 그러니 저 친구'만큼'이 아니라 저 친구'보다' 더 열심히 공부해야 성적을 높일 수 있습니다. 친구가 점심시간에 놀고 있을 때, 자신은 점심을 먹고 바로 공부를 하고, 친구가 교과서를 다섯 번 반복해 공부한다고 하면, 자신은 여섯 번 반복하는 식입니다. 친구가 잠을 12시에 자서 7시에 일어난다고 하면, 자신은 1시에 자고 7시에 일어나는 등 좀 더 노력해야 합니다. 우리의 공부 목표는 공부를 잘하는 친구'만큼'이 아닌, 공부를 잘하는 친구'보다' 더 많이 해야 한다고 마음먹어야 성적을 더욱 올릴 수 있는 밑바탕을 마련할 수 있습니다.

또 다른 사례로 일부 학생들은 자신의 목표가 3등급이라면, 딱 3등급 받을 만큼만 공부하려 힙니다. 어려운 문제는 아예 공부하려고 하지 않고, 어려워 보이는 문제는 '어차피 난 1, 2등급이 목표가 아니니까, 어려운 문제 몇 개는 공부 안 해도 괜찮겠지.'라는 생각을 가지기도 합니다. 물론 모든 학생의 목표가 1등급인 것은 아닙니다. 현재 5등급인 학생들은 목표가 3등급일 수도 있습니다. 현재 4등급인 학생들은 목표가 2등급일 수도 있습니다. 목표를 꼭 1등급으로 잡을 필요는 없습니다. 한 번에 너무 높은 목표를 설정하면 도달하지 못했을 때의 좌절감도 커지기 때문입니다. 하지만 이렇게 '자신의 목표만큼만' 공부하는 자세는 자신의 공부 실력 향상을 방해하는 요인이 됩니다. 더 공부할 수 있는 능력과 시간이 있음에도, 자신의 목표 등급인 3등급을 받는 데 굳이 필요 없는 문제라며, 이런 문제들을 외면하고 회피하면서 정작 등급은 목표 등급보다 낮게 나오기 쉽습니다.

결론적으로, 현실적인 목표 설정은 좋지만 딱 그 목표만큼만 공부하려는 자세는 좋지 않다는 것입니다. 그 목표를 넘어설 정도의 공부를 해야 실전 시험의 긴장되는 상황 속에서도 최소한 자신이 목표한 등급을 받을 수 있습니다. 만약 자신의 목표가 3등급이라면, 최소 2등급은 받을 정도의 에너지를 그 과목에 쏟아 봅니다. 목표는 현실적으로 설정하되, 그 과정에서는 목표를 넘는 노력을 해야 최소한 그 목표만큼 도달할 수 있음을 명심합니다.

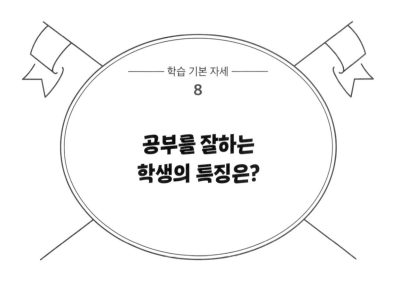

학습 기본 자세
8

공부를 잘하는
학생의 특징은?

네이버 '엑스퍼트'와 인스타그램을 통해 수많은 학생과 상담을 진행하는 과정에서 공부를 잘하는 학생들과 공부를 어려워하는 학생들의 특징을 몇 가지 발견할 수 있었습니다. 이런 특징들이 무조건 적용된다고 단정을 지을 수는 없지만, 일반적으로 공부를 잘하는 학생들이 지닌 특징들을 눈여겨보고 그들의 습관을 조금씩 배워 나가는 것은 도움이 될 것입니다.

첫째, 공부를 잘하는 학생은 대체로 무엇을 공부해야 할지 알고 있습니다. 그들은 그저 공부 시간을 채우기 위해 주어진 공부를 하는 것이 아니라, 자신의 부족한 점을 스스로 잘 알고 있고, 이를 바탕으로 필요한 공부 위주로 계획을 세워서 진행합니다. 똑같은 시간을 공부하더라도, 가장 필요하고 어려운 부분을 중점적으로 학습합니다. 학생들에게 주어지는 시간은 한정적이며 모두에게 동일하기 때문에 시간을 효율적으로 쓰는 것은 중요한 문제입니다. 공부를 잘하는 학생들은 자신에게 필요한 부분을 잘 파악하고 효율적인 학습을 진행하고 있었습니다.

둘째, 공부를 잘하는 학생은 수업 시간에 절대 졸지 않습니다. 공부를 잘하면 매일 밤 날을 새면서 열심히 공부할 것으로 생각하기 쉽습니다. 하지만 대부분 공부를 잘하는 학생들은 규칙적으로 잠을 자고 주어진 자습 시간을 최대한 잘 활용해서 공부합니다. 그리고 수업 시간에는 아무리 피곤하더라도, 학교 내신 시험을 출제하는 학교 선생님의 수업인 만큼, 선생님의 말씀을 놓치지 않으려고 어떻게든 졸지 않고 열심히 들으려는 자세를 가지고 있습니다.

셋째, 공부를 잘하는 학생은 불안함을 긍정적으로 받아들입니다. 공부를 잘하든, 못하든 시험을 앞두고 대부분 학생은 '불안함'을 느낍니다. 하지만 공부를 잘하는 학생들은 불안함을 느끼면 좌절하고, 공부와 더 멀어지기보다는 이러한 '불안함'을 있는 그대로 받아들이고, 오히려 불안하기 때문에 더욱 끝까지 긴장을 놓지 않고 열심히 해서 좋은 성적을 만들어 냅니다.

넷째, 공부를 잘하는 학생은 인강의 모든 커리큘럼을 따라가지 않습니다. 그들은 인강 선생님의 모든 1년 커리큘럼을 따라가기보다 개념과 기출문제 등 필수적인 부분을 선택해서 듣습니다. 그 외의 부분들은 책만 구매해서 풀거나 틀린 문제만 발췌해서 관련 부분에 대한 인강만 듣는 등 필요한 부분 위주의 공부를 통해 효율적으로 인강을 활용합니다.

공부를 잘하는 학생들의 특징 중에서 자신이 아직 하지 않는 것이 있다면, 하나씩 실천해 보길 바랍니다.

학습 기본 자세
9

공부를 못하는 학생의 특징은?

공부를 잘하는 학생의 특징이 있다면 반대로 공부를 못하는 학생의 특징도 있을 것입니다. 혹시 여러분이 이러한 특징을 가지고 있다고 해서 무조건 공부를 못한다고 할 수는 없습니다. 하지만 만약 자신에게 다음 3가지 특징을 가지고 있다면, 조금씩 개선해 나가는 것이 좋습니다.

첫째, 공부를 못하는 학생은 공부를 왜 해야 하는지 모른다는 것입니다. 공부를 대체 왜 해야 하는지를 모르니, 공부에 대한 열정이 없어 자연스레 공부와 거리를 두게 됩니다. 그리고 뚜렷한 진학 목표나 미래의 꿈이 없는 경우도 많기에, 공부를 시작하고 싶다면 확실한 공부의 목표를 정하는 것이 좋습니다.

둘째, 공부를 못하는 학생은 공부할 때 좋아하는 과목 위주로만 합니다. 좋은 성적을 받기 위해서는 한두 과목이 아닌 전 과목에 대해 고득점을 해야 합니다. 하지만 공부를 해도 자신이 흥미가 있는 특정 한두 과목만 집중하다 보면, 그 과목의 성적은 괜찮게 나올지라도 전체 합산한 성적이 좋지 않게 됩니다. 정말 좋은 성적을 받고 목표하는 대학, 목표하는 학과에 진학하고 싶다면, 한두 과목이 아닌 모든 과목을 골고루 공부해야 합니다. 공부를 평소 아예 하지 않았던 학생들은 일단 국어, 수학, 영어, 사회, 과학 중 공부하고 싶은 한두 과목을 선택해서 집중해 공부하며 익숙해지는 시간을 가지는 것이 좋습니다. 한두 과목 공부를 통해 어느 정도 공부에 익숙해졌다면, 1-2개월 간격으로 한 과목씩 추가하여 공부하는 식으로 시작하는 것이 도움이 됩니다.

셋째, 공부를 못하는 학생은 어떤 공부를 해야 하는지 모르는 경우가 많습니다. 막상 공부를 열심히 해보겠다고 마음을 먹어도 어떤 것부터 시작해야 할지 몰라 우왕좌왕하며 시간을 보냅니다. 그러다 보니 금세 지치고 지루해져 포기 상태가 되기도 합니다. 만약 어떤 공부부터 해야 할지 고민이라면, 과목별로 가장 기본적인 것부터 시작하면서 실력을 쌓아가는 게 좋습니다.

국어는 문학이든, 비문학이든 처음부터 분석하면서 공부하기보다는 문학과 비문학의 제대로 된 풀이 방법과 출제 포인트를 아는 게 중요합니다. 그래야 지문을 정확하게 분석할 수 있습니다. 그렇기에 혼자서 분석하려고 하기보다는, 인강이나 학원의 도움을 받는 것을 추천합니다.

수학은 기초가 부족한 상태라면 처음부터 해당 학년의 개념을 공부하기에는 힘들 수 있습니다. 그러니 수학 공부를 처음 시작하는 고등학생이라면, 인강 등을 통해 중학교 수학부터 고1 수학에 대한 전반적인 틀을 잡는 과정이 필요합니다. 사회나 과학과 같은 탐구 과목은 개념 공부에 집중하고, 영어는 바로 문제 풀이를 시작하기보다는 영단어 암기에 무조건 집중합니다. 단어 암기는 〈워드마스터〉 시리즈(이투스북)를 추천하며, 영어 공부가 처음이라면 중학 단계부터 영단어 암기를 차근차근 쌓아가는 것이 좋겠습니다.

학습 기본 자세
10

모의고사에서 발견한 공부의 3가지 법칙은?

고등학교 모의고사는 아침 8시 40분부터 오후 4시 30분까지 진행됩니다. 그 시간 동안 학생들은 국어 45문제, 수학 30문제, 영어 45문제, 탐구 40문제, 한국사 20문제로 총 180문제를 풀어야 합니다. 사실 8시간 동안 180문제를 풀어내는 게 쉬운 일은 아닙니다. 그런데 어떻게 모의고사 당일에는 집중해서 그 많은 문제를 풀 수 있을까요? 이를 통해 우리는 공부의 3가지 법칙을 발견할 수 있습니다.

첫째는 시간 제한의 법칙입니다. 평소에는 시간 제한을 두고 문제를 풀지는 않다 보니, 한 문제를 오랫동안 고민하는 시간이 있어 많은 문제를 소화하지는 못합니다. 하지만 모의고사 시험은 과목별로 정해진 시간이 있기 때문에 그 시간 내로 풀어야 한다는 생각에 더욱 열심히, 그리고 평소보다 빠르게 집중해서 문제를 풀어냅니다. 그러니 문제 푸는 속도가 너무 느리거나 집중력이 고민인 학생들은 모의고사 당일뿐만 아니라 평소 공부할 때도 시간제한을 두고 공부하면 좋은 결과를 얻을 것입니다.

둘째는 과목 다양화의 법칙입니다. 만약 한 과목에 대해 180문제를 풀어야 했다면 8시간 안에 모든 문제를 풀기는 힘들었을 것입니다. 뇌의 동일한 부분을 계속해서 사용하기 때문에 쉽게 질리고 체력적으로 지치기 때문입니다. 하지만 모의고사는 국어, 수학, 영어, 한국사, 탐구 이렇게 과목이 계속해서 바뀌기 때문에 뇌의 다양한 영역들을 사용하므로, 180문제나 되는 많은 양을 풀어낼 수 있는 것입니다. 이런 점을 보면, 하루에 몰아서 한 과목을 공부하는 것보다는 여러 과목을 섞어서 공부하는 것이 더 효율적임을 알 수 있습니다.

마지막 셋째는 휴식의 법칙입니다. 모의고사를 볼 때는 우리가 쉬고 싶지 않더라도 시험 중간마다 쉬는 시간이 주어집니다. 전체 과목 중 가장 시험 시간이 긴 수학이 100분으로, 우리는 최대 100분의 공부만 하게 됩니다. 모의고사 시험이 이렇게 구성된 것은 결국 학생들이 최대로 집중할 수 있는 시간을 100분으로 잡아둔 것이고, '쉬는 시간'을 가지는 것이 효율적인 학습에 더욱 도움이 된다는 의미로 받아들일 수 있습니다. 무조건 오랜 시간 책상에 앉아 공부한다고 해서 좋은 게 아니라, 반드시 1-2시간 간격으로 쉬는 시간을 10-20분 정도 가지면서 공부하는 게 바람직하다는 것을 기억하도록 합니다.

이 3가지 법칙은 이미 앞에서 다룬 내용과도 연결되며, 앞으로 다룰 내용에서도 포함됩니다. 하지만 모의고사 시험을 통해서 파악한 3가지 법칙인 만큼 시간제한, 과목 다양화, 휴식의 중요성을 깨닫는 기회가 되었으면 합니다.

모의고사와 수능의 차이점은?

고등학생에게 가장 중요한 시험은 바로 대학수학능력시험 즉 '수능'입니다. 수능은 누구나 두려워하고, 긴장하는 시험입니다. 하지만 객관적으로 생각해 보면 수능은 우리가 고3이 되어 보는 6월 모의고사 그리고 9월 모의고사의 출제 기관인 '평가원'에서 똑같이 내는 시험입니다. 그리고 수능은 평소에 연습하던 것과 똑같이 국어, 수학, 영어, 한국사, 탐구로 구성되어 있고, 문제 수와 주어진 시간까지도 모두 동일합니다. 하지만 평소에는 모의고사를 잘보다가도, 특히 수능 시험만 보면 긴장하고 평소 실력을 발휘하지못하는 학생들이 많습니다. 저 역시 고등학교 3학년 때는 왜 수능에서 수험생들이 그토록 긴장하는지 이해하지 못했습니다. 그저 단순히 제가 평소 모의고사를 풀면서 연습하던 대로 수능 시험장에 가서 잘만 하고 오면 된다는 생각이었습니다. 하지만 실제 수능 당일에 시험을 보고 나와 보니 수능은 모의고사와 큰 차이점들이 있었습니다.

첫째는 단 한 번의 수능 성적으로 대학이, 그리고 미래의 중요한 방향이 결정된다는 것입니다. 평소에 모의고사 문제를 풀 때는 몇 문제를 실수하든 상관이 없습니다. 말 그대로 '모의' 시험이기 때문에 좋지 않은 성적을 받더라도, 다음 시험 때 그 부분들을 보완해서 잘 보면 되는 것이었습니다. 그리고 그만큼 간절함이 적기 때문에 긴장감도 덜 합니다. 하지만 수능은 전혀 다릅니다. 수능에서 단 한 번의 실수가 여러분의 대학을 바꾸고, 그 하나의 실수로 대학에 불합격될 수 있다는 생각에 긴장감이 훨씬 더 커질 수밖에 없습니다.

이를 해결하는 방안으로 평소 모의고사를 볼 때도 이 시험이 진짜 수능인 것처럼 간절함을 가지고 임하는 연습을 하는 것이 좋습니다.

둘째는 고등학교 3년간 느꼈던 것과는 전혀 다른 '낯선 환경'에서 시험을 본다는 것입니다. 고등학교 3년간 모의고사를 볼 때는 매일 수업을 듣던 익숙한 교실에서, 익숙한 친구들 그리고 매일 만나는 선생님이 감독관으로 있는 익숙한 환경에서 시험을 봤습니다. 하지만 수능은 낯선 학교, 처음 보는 학생들, 처음 보는 감독관과 함께 시험을 봅니다. 모든 게 어색하고 낯선 분위기 속에서 시험을 보는 것이라 그만큼 긴장감도 크고 적응하는 시간도 필요할 것입니다. 이를 해결하는 방안은 평소에 모의고사 시험 연습을 할 때 집보다는 도서관처럼 넓게 트인 공간의 낯선 사람들과 함께 있는 곳에서 풀어 보는 훈련을 하는 것입니다.

마지막 셋째, 수능 시험은 평소보다 시간이 부족하다고 느끼는 경우가 많다는 것입니다. 모의고사를 풀 때는 시간 관리를 잘하고 있다고 생각했더라도, 수능 당일에는 앞의 이유로 긴장감이 커지다 보니 한 문제를 풀 때 좀 더 신중하게 풀게 되고, 그만큼 평소보다 시간이 촉박해지는 경우가 많습니다. 예전 같으면 여유 있게 풀 수 있는 문제도, 수능 시험 당일에는 자꾸 계산 실수도 나오고, 시간에 쫓기는 것 같아 불안해질 수 있습니다. 이를 해결하는 방안은 평소에 시간을 재고 문제를 풀 때 반드시 답안지와 임시 채점표까지 쓰는 연습을 하는 것입니다. 수능이 있기 1-2개월 전부터는 정해진 시간보다 5분 정도 더 빠르게 푸는 연습을 하면서 시간 관리를 빡빡하게 하는 것이 도움이 됩니다. 그리고 특히 수학은 수능 당일에는 검토할 시간이 없을 가능성이 크기 때문에 한 번 풀 때 계산 실수를 하지 않아야 합니다. 그러니 평소에 수학 문제를 풀 때 정확히 계산하는 것을 습관화하는 게 좋습니다.

의대생이 졸음을 쫓는 다양한 방법

정말 피곤하지만, 얼른 잠을 깨고 공부에 집중해야 하는 날이 있습니다. 특히 다음 날까지 꼭 끝내야 하는 과제가 있거나, 아직 덜 끝낸 시험공부가 있는 날이라면 잠이 와도 잠을 깨워야 하는 상황이 생기기 마련입니다. 이럴 때는 결국 자신만의 방법으로 졸음을 쫓고 빠르게 컨디션을 회복하는 것이 중요합니다. 지금부터 제가 실제로 사용했던 방법들과 함께 의대생들이 활용하는 졸음을 쫓는 다양한 방법을 소개합니다. 이 중에서 자신에게 맞는 방법을 찾아 요긴하게 활용하길 바랍니다.

1. 관자놀이를 양손 엄지로 10초만 꾹 눌렀다가 떼는 것을 여러 번 반복한다.
2. 간단한 젤리, 초콜릿 등의 간식을 먹는다.
3. 스트레칭을 5-10분간 한다.
4. 인공눈물을 눈에 넣는다.
5. 졸음 방지 껌을 씹는다.

6. 사탕을 입에 넣고 조금씩 녹이면서 먹는다.

7. 스탠딩 책상에 서서 공부한다.

8. 잠깐 밖에 나가서 시원한 바람을 쐬며 산책한다.

9. 가글을 하거나 양치해서 입안을 상쾌하게 한다.

10. 시원한 물로 세수한다.

11. 유튜브에서 희망 진로 관련 영상을 보면서 공부 자극을 받는다.

12. 신나는 노래를 듣는다.

13. 얼음을 씹어서 먹는다.

14. 시원한 물을 한 잔 가득 마신다.

15. 공부 장소를 다른 곳으로 옮긴다.

  예) 집→카페, 카페→독서실, 도서관→집

16. 10-20분만 알람을 맞춰 두고 잔다.

17. SNS를 5-10분만 하면서 쉰다.

18. 눈을 감고 자신의 성공한 미래 모습을 상상해 본다.

19. 볼을 꼬집어 정신이 들게 한다.

20. 성인이 되었을 때 하고 싶은 것들에 대한 계획을 세워 본다.

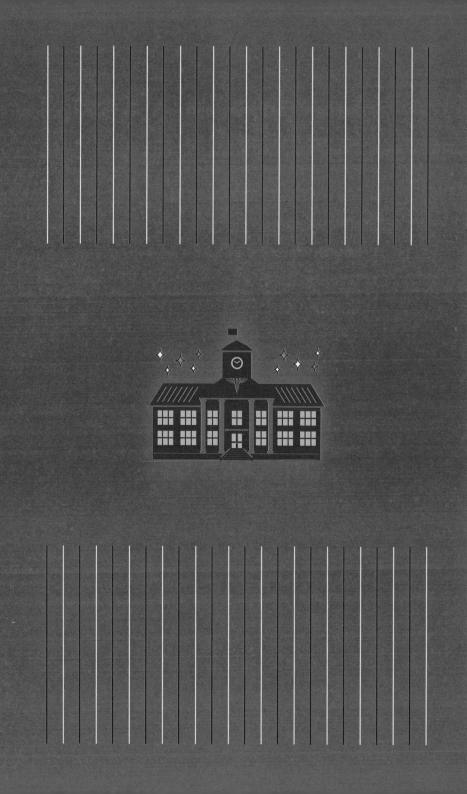

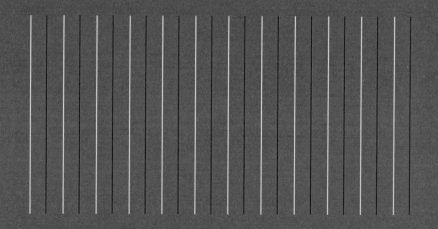

3장

의대 합격으로 가는
특별 공부법

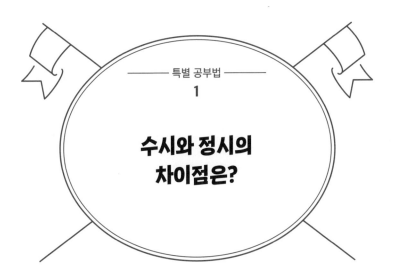

특별 공부법
1

수시와 정시의 차이점은?

대학 입시는 크게 수시와 정시로 나누어집니다. 수시는 대학교들이 자체적으로 원하는 기준에 맞추어 학생들을 모집하는 대학 입학 전형이며, 정시는 매해 국가 단위로 치는 수능 성적을 기반으로 학생들을 모집하는 대학 입학 전형입니다. 좀 더 간단히 말하자면, 수시는 고등학교 3년 동안의 내신 성적이 반영되는 입학 전형이고, 정시는 수능 성적이 반영되는 입학 전형이라고 할 수 있습니다.

대부분 고등학생이 저학년 때는 내신 성적 챙기기에 집중하지만, 점차 내신 성적이 잘 나오지 않거나 모의고사 성적이 더 괜찮다면 내신을 포기하고 수능 공부에만 집중하기도 합니다. 그렇다면 내신 성적을 챙기는 수시 전형과 수능에 집중하는 정시 전형은 각각 어떤 차이가 있고, 자신에게 맞는 입학 전형은 무엇인지 알아봅시다.

고등학교 3년의 내신이 반영되는 수시 전형은 3년간 총 12번의 시험 성적이 반영됩니다. 만약 시험에서 한 번 정도 실수를 하더라도 다음 시험을 잘 보면 만회할 수 있습니다. 그 대신 수시 전형에는 학교생활이 담긴 '생활기록부'가 반영되기 때문에 시험이 끝나더라도 각종 동아리, 임원 활동, 프로젝트 등의 학교 활동으로 인해 휴식을 취할 시간이 부족할 수 있습니다. 그리고 이전부터 기출문제들이 쌓여 있는 객관적인 수능 시험 문제와 달리, 내신은 학교 선생님마다 출제하는 스타일이 다르고 주관적이기 때문에 시험 준비가 좀 더 까다롭다는 단점이 있습니다. 반면, 수시 전형은 만약 첫 대학 입시에 실패하더라도, 그다음 해에도 기존의 내신 성적을 그대로 활용해서 대학에 지원할 수 있다는 장점도 있습니다.

'수능 성적'으로 대학이 결정되는 정시 전형은 '단 한 번의 시험'으로 대학 입시가 좌우됩니다. 수시 전형과 다르게 정시 전형은 수능 당일 시험 성적으로 모든 것이 결정 나기 때문에 그만큼 더 부담감이 큽니다. 또 전부는 아니지만, 대부분 일반고가 '수시 중심' 학교입니다. 그러니 고등학교에 다니며 수능을 따로 준비하는 일은 생각보다 쉽지 않습니다. 학교 수업은 '내신 시험'에 맞춰져 있지만, 아무리 정시를 준비한다고 해도 수업을 아예 듣지 않을 수는 없기 때문입니다. 그러니 재수생들보다 공부 시간이 절대적으로 부족할 수밖에 없습니다. 하지만 장점도 있습니다. 고등학교 1, 2학년 때 내신 성적이 잘 나오지 않았더라도, 수능을 통해 새로운 기회를 얻을 수 있다는 것입니다. 그렇기에 내신 성적이 좋지 않아 수능에 새로이 도전하는 학생들도 많습니다.

다음은 대학 입시에서 수시 전형과 정시 전형에 대한 상황별 선택 기준을 정리해 보았습니다.

고 1, 2학년이라면 ~~~~~

일단 수시의 가능성을 두고 내신을 열심히 챙기면서, 내신 기간이 아닐 때는 수능 공부도 병행하는 것이 좋습니다. 너무 일찍부터 내신 점수가 잘 나오지 않았다고 섣불리 수시를 포기하고 수능에만 집중하는 것은 대학에 갈 두 가지 방법 중 하나를 포기하는 것과 마찬가지입니다. 하지만 조금이라도 가능성이 있다면 두 가지 방법 모두 도전하는 것이 좋습니다. 만약 내신 성적이 기대보다 잘 나오지 않았더라도, 일단 내신 성적은 고등학교 2학년 때까지 포기하지 않고 챙기는 것이 현명합니다.

고 3학년이라면 ~~~~~

일단 자신이 목표로 하는 대학교의 입시 요강을 진학사(www.jinhak.com)나 유웨이(www.uway.com) 등의 입시 사이트나 대학별 홈페이지를 통해 정시에서 '내신 성적'이 반영되는지 확인하는 것이 좋습니다.

만약 가고 싶은 대학교가 수능 성적을 100%로 뽑는다면 내신보다
는 수능에 집중합니다. 하지만 내신 성적이 10%라도 반영된다면,
내신을 아예 신경 쓰지 않는 것보다 내신 시험 2~3주 전이라도 어
느 정도는 성적 관리를 하는 것이 좋습니다.

자사고 혹은 특목고 학생이라면 ~~~~

자사고나 특목고에는 공부를 잘하는 학생들이 모여 있다 보니
내신 성적을 올리기 어려운 경우가 많습니다. 그렇다면 일단 정시
전형을 중심으로 준비하는 것이 유리할 것입니다. 또한 정시를 준
비하면서 '논술 전형' 준비도 병행하는 것은 또 다른 방법이 될 수
있습니다.

N수생이라면 ~~~~

반수나 재수 또는 그 이상의 N수생들은 일단 정시를 중심으로
공부하는 것이 좋습니다. 그리고 만약 고등학교 때 내신 성적이 괜
찮았다면, 수시 전형도 함께 지원해 보며 최대한 기회를 늘려봅니
다. N수생 역시 '논술 전형'에 대한 준비도 조금씩 병행하는 것이
유리합니다.

특별 공부법
2

효과적인 개념 암기법이 따로 있을까?

학생들을 상담할 때 많이 하는 질문 중 하나가 바로 암기법에 대한 것입니다. 공부는 단순히 무작정 암기하는 것보다 먼저 제대로 '이해'하는 것이 중요합니다. 더욱이 수학이나 탐구 과목은 개념에서 문제 풀이가 시작되기 때문에 무엇보다 개념을 확실히 이해하는 것이 중요합니다. 개념을 제대로 이해해야 그다음 문제 풀이를 진행할 수 있습니다. 그렇다면 어떻게 해야 효과적으로 개념을 잘 암기할 수 있을까요?

저 역시 중고등학교 시기에 암기를 어떻게 하면 좀 더 효율적으로, 또 효과적으로 할 수 있을지 많이 고민했습니다. 저는 암기를 좋아하는 편이 아니라서 암기 속도가 느렸고, 특히 지구과학을 공부할 때는 열심히 외웠던 개념들이 조금만 시간이 지나도 잊어버리는 경우가 많아서 힘들어 했습니다. 그래서 좀 더 효과적인 암기를 위해 다양한 방법을 시도해 보았습니다. 그런 노력 끝에 저만의 암기법을 찾을 수 있었고, 그 방법은 의대에 다니고 있는 지금까지도 활용하고 있습니다. 지금부터 그 3가지 암기법을 소개합니다.

첫 번째 방법은 '백지 복습법'입니다. 이 방법은 여러 곳에서 소개된 유명한 암기법으로, 이미 알고 있는 학생이 많을 것입니다. '백지 복습법'이란 빈 종이에 개념의 키워드 하나를 적어 두고, 그 키워드와 관련된 내용을 암기하여 쭉 써 내려가며 자신에게 어떤 부분이 부족한지를 파악하는 방법입니다. 이렇게 백지 복습을 하다 보면, 본인이 암기하지 못한 개념이 무엇인지 객관적으로 판단할 수 있습니다.

두 번째 방법은 '큰 글씨법'입니다. 이 방법은 제가 개발한 방법입니다. 만약 개념 공부를 하다가 정말 중요한 개념이거나 자꾸만 잊어버려서 암기가 어려운 개념이 있다면, 그 옆에 큰 글씨로 그 개념을 적어 두는 것입니다. 우리는 평소에 큰 글씨를 적을 일이 많이 없으니, 이렇게 크게 적어 두는 것만으로도 특별한 경험이 됩니다. 그래서 암기에 도움이 되고, 개념 교재를 넘겨볼 때마다 크게 적어둔 글씨가 눈에 띄어 개념을 좀 더 명확히 암기하는 데 도움이 됩니다. 제가 의대 공부를 하면서 가장 자주 쓰는 암기 방법 중 하나입니다.

마지막 세 번째 방법은 '녹음법'입니다. 녹음법은 꼭 암기해야 하는 개념들을 자신의 목소리로 직접 녹음해 두고, 쉬는 시간이나 통학 시간을 활용해 반복해서 듣는 방법입니다. 이 방법은 귀로 반복해서 개념을 듣는 것이 포인트입니다. 특히 자신의 목소리로 녹음했기 때문에 어렵고 헷갈리는 개념이 더욱 쉽게 들려서 어려운 개념 암기에 큰 도움이 됩니다. 저는 특히 '미적분'과 '생명과학2' 과목을 공부할 때 이 녹음법을 활용해 개념을 좀 더 빠르게 익힐 수 있었습니다. 녹음법이 처음에는 생소하고 어색할 수도 있지만, 꼭 한 번 자신의 목소리로 개념을 녹음해 반복해서 들어 보길 추천합니다.

개념을 제대로 암기하는 것은 수학과 탐구 과목의 시작이자 본질입니다. 앞으로 개념을 암기할 때는 무턱대고 외우는 것보다 백지 복습법, 큰 글씨법, 녹음법 이 세 가지 효과적인 개념 암기법을 적절히 활용해서 훨씬 효과적으로 개념을 익히길 바랍니다.

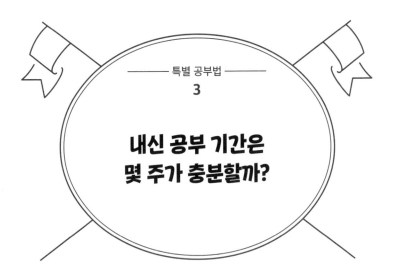

특별 공부법
3

내신 공부 기간은
몇 주가 충분할까?

고등학교에 진학해서 봤던 첫 중간고사는 제게 충격으로 남아 있습니다. 당시에도 '의대 진학'이 목표였기에 당연히 모든 과목의 상위권을 노리면서 공부했습니다. 하지만 제 국어 성적은 3등급에 해당했던 27등, 과학 성적은 4등급에 해당했던 36등이었습니다. 물론 기말고사가 남아 있었지만, 중간고사 성적을 잘 받아야 기말고사의 부담이 없는 만큼 국어 3등급, 과학 4등급이라는 성적은 의대 진학을 목표했던 제게 큰 충격과 좌절로 다가왔습니다.

시험이 끝나고 나서 왜 예상과 다른 성적을 받게 되었는지에 대해 스스로 분석해 보았습니다. 그러자 절대적인 시험공부의 시간과 양이 부족했다는 결론이 나왔습니다. 고등학교에 진학하면서 3월 한 달간 각종 대회, 동아리 활동, 수행평가 등으로 바쁘게 보냈습니다. 그러다 보니 어느새 시험은 3~4주 앞으로 다가왔고, 저는 중학교 때의 경험을 바탕으로 이 정도 기간이면 충분히 내신 공부를 할 수 있다고 생각했습니다. 하지만 현실은 그렇지 않았습니다. 내신 공부 기간이라고 해서 오로지 공부에만 집중할 수 있는 것도 아니었습니다. 내신 시험 1~2주 전에도 여전히 해야 할 수행평가는 있었고, 준비해야 할 대회도 있었습니다. 그러다 보니 공부에만 집중할 수 없었고, 부족한 공부량은 실망스러운 성적으로 이어진 것입니다. 그 이후로 저는 늘 내신 공부 기간을 '5주'로 잡고 공부했습니다. 그랬더니 국어와 과학 모두 상위권 성적을 받을 수 있었고, 중간고사의 실수를 완전히 만회할 수 있었습니다.

주변에 내신 공부 기간을 3~4주로 정하고 공부하는 친구들이 많을 것입니다. 그래서 여러분도 3~4주면 충분할 것으로 생각할 수 있습니다. 하지만 내신 시험은 전국 단위가 아닌 학년 친구들과의 경쟁이고, 조금이라도 앞서가고 싶다면 남들이 시험공부 기간을 3~4주로 정할 때, 여러분은 '5주'로 잡고 시험공부를 시작해야 합니다. 이것이 사소한 차이라고 생각할 수도 있지만, 결국 이러한 차이들이 모여 '차별화'가 되고, 이는 곧 좋은 성적으로 이어집니다. 고등학교는 공부만 하는 곳이 아닙니다. 시험 기간이라고 해서 공부에만 집중할 수 있는 것도 아닙니다. 수행평가, 각종 대회 및 동아리 활동 등을 수행하기 위해서라도 지금부터는 내신 시험공부 기간을 '5주'로 정하는 것을 추천합니다.

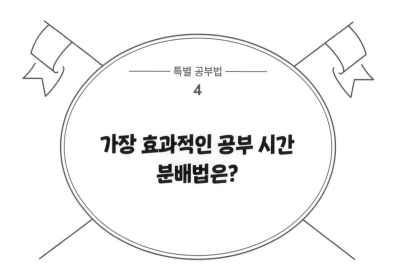

특별 공부법
4

가장 효과적인 공부 시간 분배법은?

모든 학생에게 시간은 공평하게 주어집니다. 그 시간을 누가 얼마나 더 효율적으로 쓰느냐에 따라 성적이 달라집니다. 학생들은 대부분 평일에 학교 수업을 듣고, 주말에는 학원이나 과외 등을 통해 부족한 공부를 보충하는 경우가 많습니다. 그러다 보면 정작 자습할 시간이 부족하기 쉽습니다. 그렇다면 주어진 시간 안에서 얼마나 효율적으로 시간을 활용하는지가 성적을 올리는 데 중요한 요소가 됩니다.

특히 공부 시간을 어떻게 분배하는 게 좋을지 많은 학생이 궁금해합니다. 무엇보다 매일 모든 과목을 조금씩 꾸준히 하는 게 좋을지,

아니면 특정 2~3과목에 집중하는 게 좋을지 또는 한 과목에만 집중하는 게 좋을지에 대해 다양한 의견이 있습니다. 여기서 제가 중고등학교 때 실제로 시간 분배를 했던 방법을 정리해 보았습니다.

하루에 공부 시간이 6시간이고, 총 6과목 시험을 본다는 가정하에 '6과목을 1시간씩', '3과목을 2시간씩', '1과목을 6시간씩'으로 3가지 상황을 나누어 설명하겠습니다.

6과목을 1시간씩 〜〜〜

공부해야 할 모든 과목을 하루에 1시간씩 매일 공부하는 것으로, 많은 학생이 사용하는 방식입니다. 하지만 이 방식은 3가지 방식 중에 가장 비효율적이라고 생각합니다. 일단 겉으로는 하루에 모든 과목을 공부했다는 생각에 성취감도 느껴지고, 뿌듯한 기분도 듭니다. 그리고 모든 과목을 1시간씩 공부했기 때문에 골고루 분배를 잘하고 있다고 생각할 수 있습니다. 그러나 하루에 너무 많은 과목을 공부하다 보면, 각 과목에 대한 투자 시간이 줄어듭니다. 그리고 예전에 담임 선생님이 해 주신 이야기를 떠올려 보면, 한 과목을 공부할 때 그 과목에 온전히 정신을 집중하기 시작하는 시간이 '공부를 시작한 40분 후'부터라고 했습니다. 즉, 그 과목 공부를 시작한 지 40분 정도가 지난 다음에야 집중력이 최상인 상태에서 공부할 수 있습니다. 이런 관점에서 보면, 모든 과목을 공부하느라 한 과목을 1시간씩 공부하면 이제 막 그 과목에 잘 집중이 되고 몰입하려고 할 때 다른 과목 공부로 넘어가 버리는 것입니다. 집중한 지

20분 만에 다시 다른 과목으로 넘어가고, 또 그 과목에 집중하려면 40분이 걸린다는 이야기입니다. 물론 모든 과목을 매일 조금씩 공부하고 싶은 열망과 의지는 좋지만, 한창 공부에 집중이 잘 될 때 다른 과목으로 넘어가는 것이므로 비효율적인 공부 방식일 수 있습니다. 다만 시험 기간 1주일 전에 모든 과목을 전반적으로 정리하는 시기에 활용한다면 오히려 효율적일 수도 있으니, 상황에 따라 유동적으로 선택하기를 바랍니다.

3과목을 2시간씩 〰〰〰

개인적으로 가장 효율적이라고 생각하는 방식입니다. 너무 많지 않은 과목에 적절한 시간을 투자한다고 보기 때문입니다. 각 과목을 2시간씩 공부할 수 있기에 효율적이기도 하고, 한 과목을 2시간이 넘게 공부하면 아무래도 피로감과 지루함을 느끼기 쉽기 때문입니다. 다만, 이 방식에서 주의할 점은 '3과목'을 어떤 과목으로 선정하는지가 중요합니다. 이 3과목을 계속해서 본인이 하고 싶은 과목만 선택하면 문제가 됩니다. 그러니 3과목을 정할 때는 '국어·수학·영어' 중 두 과목 그리고 '사회·과학(혹은 탐구 두 과목)' 중 한 과목을 번갈아 선택하는 걸 추천합니다.

1과목을 6시간씩 〰〰〰

학생들이 잘 선택하지 않는 이 방식은 한 과목에 몰입해 공부하는 것입니다. 이 방식은 나머지 다른 과목들 공부에 소홀해진다는 단점이 분명 존재합니다. 그러나 이 방식만의 분명한 장점이 있습니다. 바로 '한 과목을 온종일 공부하면서 본인의 약점을 보완'할 수 있다는 것입니다.

이처럼 다양한 방식으로 '공부 시간 분배'를 해본 결과, 저는 이렇게 진행하는 게 가장 효과적이었습니다. 먼저 평소에는 '하루에 3과목을 2시간씩 공부하되, 한 달에 하루쯤은 '한 과목만 온종일 공부'하는 시간을 가져보는 것입니다. 실제로 이렇게 공부 시간을 분배하니 효과가 좋았습니다. 한 달 동안 공부하면서 유독 부족한 과목이나 단원이 있으면 체크해 두고, 온종일 그 단원만, 그 과목만 공부하는 시간을 따로 가져보았습니다. 이렇게 평소에 어려웠던 내용을 깊이 있게 공부하다 보니 이 시간을 통해 해결되는 경우가 꽤 많았습니다. 또한 다른 과목을 공부해야 한다는 압박감이 없는 상태라서 해당 내용에 집중이 무척 잘 되었습니다.

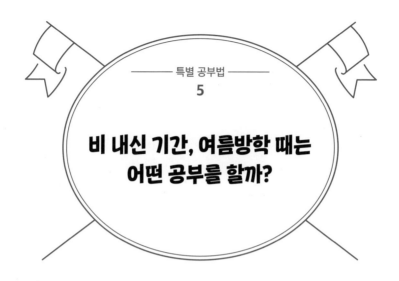

특별 공부법
5

비 내신 기간, 여름방학 때는 어떤 공부를 할까?

내신 기간에는 시험공부에 집중하면 되지만, 내신 기간이 아닐 때는 학교 수행평가, 각종 대회 및 동아리 활동 등으로 시간이 쏜살같이 흘러갑니다. 하지만 중간고사와 기말고사 사이의 기간, 그리고 여름방학 기간은 부족한 학습을 보충할 수 있는 소중한 시간입니다. 시험 기간에는 시험 범위 위주의 공부만 해야 하므로 자신이 부족한 부분을 집중적으로 공부하기가 힘듭니다. 그래서 비 내신 기간과 여름방학 기간을 잘 활용하여 부족한 학습을 보충하는 것이 중요합니다. 이 시기에는 내신에 대한 선행 학습도 중요하지만, 약점 보완 위주의 공부를 진행하는 것을 추천합니다.

국어 ～～～

모의고사 공부를 추천하며, 각 학년에 맞는 연도별 기출문제집을 구매하여, 매주 1-2회 정도 시간을 재고 실제 시험처럼 문제를 풀며 답안지 마킹까지 해봅니다. 그리고 틀린 문제를 확인하며 공부를 진행하면 됩니다. 틀린 문제에 대해서는 답지를 참고하여 각 선지가 왜 맞고 왜 틀리는지, 답의 근거가 본문의 어느 부분에 나와 있는지를 정리하면서 모의고사에 대한 감각을 익히는 것이 좋습니다.

아직 고3이 아니라면, 시간을 내어 꼭 책 한 권 정도 읽는 것을 추천합니다. 꾸준히 독서를 하면 글의 전반적인 내용을 파악하고, 긴 글을 읽는 경험을 통해 실제 내신 및 모의고사에서 지문을 읽을 때 독해력에 도움이 됩니다. 저는 시험 기간이 아닐 때는 늘 하루 20-30분씩 의학 관련 책을 읽으면서, 희망 학과에 대한 지식도 쌓고, 국어 독해력도 키우는 시간을 가졌습니다. 이처럼 자신이 진학하고자 하는 학과 관련 도서를 읽어 보면 더욱 유익합니다.

수학 ～～～

수학은 시험 기간과 상관없이 꾸준히 해나가야 하는 과목입니다. 내신 기간에 그 많은 문제집을 한 번에 다 풀기는 힘드니, 시험 공부의 연장선으로 생각하고, 미리 풀어 보는 것이 좋습니다. 일단 그다음 시험 범위에 대해 개념서를 통해 공부하고, 개념 공부가 끝났으면 시험 기간의 부담을 덜기 위해 기출문제를 풀어 봅니다. 그리고 방학이 아닌, 중간고사와 기말고사 사이의 여유 시간에 '선행'

공부를 하려는 학생들도 많은데, 저는 추천하지 않습니다. 선행은 좀 더 긴 시간을 가지고 방학 때 집중해서 하는 것이 좋으며, 수학은 비 내신 기간에 그다음 시험의 개념 및 기출문제를 공부하는 게 효과적입니다.

영어 〰️

반복해 이야기하지만 영어는 무조건 단어를 많이 암기하는 것이 좋습니다. 영어 지문을 해석하고 문제를 풀기 위해 가장 밑바탕이 되는 것이 영단어이기 때문입니다. 아무리 해석과 문법 공부를 열심히 하고, 문제를 많이 푼다고 해도 영단어가 제대로 잡혀 있지 않다면 내신에서도 흔들릴 수밖에 없습니다. 그러니 비 내신 기간에는 하루 1-2과씩 꾸준히 영단어를 암기하면서 기본에 충실해야 합니다. 그리고 내신 시험에서 '문법'을 잘 몰라서 힘들었다면 꼭 문법에 대한 보충 공부를 하도록 합니다.

사회, 과학(탐구 과목) 〰️

내신 기간이 아닐 때는 사회나 과학에 대한 별도의 공부가 필요하다고 생각하지는 않습니다. 다만 시간적 여유가 있다면, 그다음 시험 범위에 대한 기출문제를 미리 풀어 보면서 실력을 다져 두는 것이 좋습니다. 기출문제의 양이 워낙 많아서 미리 공부해 둔다면 내신 시험을 준비할 때 훨씬 여유로울 것입니다.

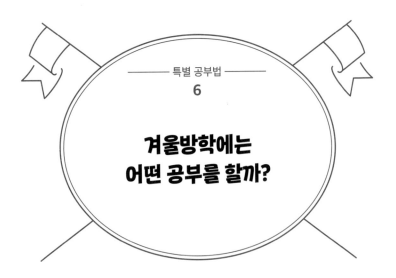

특별 공부법
6

겨울방학에는
어떤 공부를 할까?

　고등학생에게 고1에서 고2로 넘어가는, 그리고 고2에서 고3으로 넘어가는 겨울방학 시기는 매우 중요합니다. 여름방학은 학년이 바뀌는 것은 아니니 그다음 학기 때 배우는 내용이 난이도나 구성에 큰 변화가 없지만, 학년을 올라갈 때는 이야기가 다릅니다. 특히 사회, 과학 과목의 난이도가 높아지고, 고2에서 고3으로 넘어갈 때는 '수능' 준비에 본격적으로 더 많은 시간을 쏟아야 합니다. 그렇기에 겨울방학을 활용해 과목별로 어떻게 공부하느냐가 매우 중요합니다. 지금부터 학년별로 겨울방학 때 해야 할 공부를 정리해보겠습니다.

예비 고2 겨울방학 ~~~~

[국어]

이 시기에는 모의고사 기출문제를 통해 국어 모의고사에 익숙해지는 것이 중요합니다. 모의고사 기출문제는 고3 문제를 푸는 것보다는 고1 기출문제부터 풀면서 감을 익히고, 시간적 여유가 있다면 고2 기출문제까지 푸는 방식으로 진행하는 게 좋습니다.

> **의대생이 선택한 문제집**
>
> <<< TIP
>
> · **기출문제집** : 〈자이스토리〉(수경출판사), 〈리얼 오리지널 전국연합 학력평가 기출〉(입시플라이)
> → 기출문제집은 답안지의 해설이 자세하고 가독성이 높게 정리된 것을 선호하여 풀었다. 그리고 종이가 너무 얇으면 필기할 때 불편하니 종이의 질도 고려하여 선택했다.

고3 때 해야 할 국어 공부를 미리 시작한다는 생각으로 공부합니다. 혹시 커리큘럼을 따라 할 만한 인강 선생님이 있다면, 그 선생님의 첫 강의부터 꼼꼼하게 들어보는 것을 추천합니다. 어차피 국어는 학년이 정해진 것이 아니니, 예비 고3 때 모든 것을 시작하기보다는 좀 더 여유 있는 예비 고2 때를 활용해 미리 시작하는 것이좋습니다.

[수학]

수학은 고2 때 시험을 보는 수학1과 수학2에 대한 공부가 우선입니다. 시간이 매우 부족하다면, 수학1이라도 제대로 익혀야 합니다. 또한, 기본적으로 방학 때는 '개념서 1권 + 유형별 문제집 1권' 이렇게 총 2권을 끝내두면 좋습니다. 만약 그렇게 하고도 시간적인 여유가 있으면 기출문제집을 추가로 공부합니다. 그러면 실제 시험 기간 때 훨씬 여유가 생길 것입니다. 그리고 수학1과 수학2뿐만 아니라 2학년 때 시험을 보는 과목(확률과 통계, 미적분 등)이 있다면 똑같이 공부해야 합니다.

의대생이 선택한 **문제집**

<<< TIP

· **개념서** : 《개념원리》(개념원리), 《개념+유형》(비상교육), 《수학의 바이블》(이투스교육)
→ 개념 정리가 꼼꼼히 되어 있고, 무엇보다 가독성이 높은 개념서를 선호했다.

· **유형별 문제집** : 《쎈B》(좋은책신사고), 《개념원리 RPM》(개념원리)
→ 유형별로 연습할 수 있는 문제집은 무조건 문제를 많이 풀어 보는 게 중요하니 보통 학생들이 많이 사용하는 문제집을 자유롭게 선택해 풀었다.

· **기출문제집** : 《마더텅 전국연합 학력평가 기출문제집》(마더텅)
→ 겨울방학 때는 다른 과목들도 공부해야 하니 되도록 분량이 적은 기출문제집을 선택했다.

[영어]

영어 공부에서 가장 중요한 것이 영단어 암기인 만큼 무엇보다 영단어 암기를 열심히 하는 것이 가장 좋습니다.

의대생이 선택한 **단어장 &문제집**

<<< TIP

· **단어장** : 〈능률 VACA〉 시리즈(NE능률), 〈워드마스터〉 시리즈(이투스교육)
→ 무엇보다 가독성을 중요시했고, 학생들이 선호하는 단어장 위주로 선택해서 진행했다.
· **기출문제집** : 기출문제집 : <자이스토리> 독해 시리즈(수경출판사)
→ 다양한 영어 기출문제집 중 유형별로 문제 풀이 팁과 노하우가 자세히 수록된 교재를 선택했다.

학교 내신 시험에서 외부 지문이 모의고사 유형과 비슷하게 나오기도 하니, 예비 고2라면 천천히 모의고사 준비를 시작하는 것이 좋습니다. 이를 위해서는 해석과 문법 공부뿐만 아니라 '유형별 풀이법'을 공부하는 게 좋습니다. '빈칸/순서/삽입' 같은 전통적인 킬러 문제부터 요약문, 대의 파악 등의 준 킬러 유형까지 어떤 식으로 문제 풀이를 하는지 공부해 둡니다. 물론 예비 고2 시기에 필수는 아니지만, 영어는 고3이 되기 전에 확실히 끝내두는 것이 좋으므로 미리 시작하는 것도 도움이 됩니다.

[탐구]

탐구는 물리1, 화학1, 지구1, 생명1 중 1학기 때 배울 과목 위주로 '개념+기출문제' 공부에 집중합니다. '물리, 화학, 생명과학, 지구과학' 과목은 수능 출제 과목이라서 내신 시험에서도 모의고사 유형처럼 나오는 경우가 많습니다. 그러니 사설 인강을 통해 개념과 기출문제를 익히며 동시에 다양한 유형별 문제 풀이 방법을 공부하는 게 좋습니다. 개념은 혼자서 공부해도 괜찮지만, 개념만 안다고 해서 문제를 잘 풀 수 있는 게 아니니, 사설 인강을 활용해 모의고사 출제 포인트를 알아가며 공부하는 것을 추천합니다.

예비 고3 겨울방학 공부 ~~~~~

[국어]

예비 고3이라면 사설 인강을 통해 문학과 비문학을 공부해 모의고사를 제대로 준비하는 것이 좋습니다. 혼자서 기출문제를 풀고 분석해 보려는 학생들도 있지만, 정확한 문제 풀이 방법과 개념을 모르는 상태라면 오히려 잘못된 풀이 방법이 습관화될 수 있습니다. 또, 문제를 분석하려면 평가원의 출제 포인트들을 정확히 파악하고 있어야 하는데, 그러려면 우선 인강을 통해 전반적인 공부의 가이드라인을 잘 잡는 것이 중요합니다.

또한 '언어와 매체'와 '화법과 작문'은 겨울방학 때 확실히 끝내는 것이 좋습니다. 두 과목 다 인강을 활용해 꾸준히 공부합니다.

의대생이
선택한
문제집

‹‹‹ TIP

· 언매/화작 문제집 : 《다담 언어와 매체 800제》(쏠티북스), 《다담 화법과
작문 800제》(쏠티북스), 〈매3〉 시리즈(키출판사)
→ 해설지가 얼마나 자세하고 가독성 있게 쓰였는지를 기준으로 문제집을
선택했다. 언매/화작 특성상 문학, 비문학 공부보다 더 많은 시간을 투자
하기가 어려우니 조금씩 꾸준히 공부할 수 있게 구성된 교재가 편리하다.

2월 말부터는 시간 내에 모의고사를 푸는 연습을 매주 1회 이상
해봅니다. 평소에 편하게 문제를 푸는 것과 80분 시간 내로 문제를
푸는 것은 전혀 다른 일입니다. 그러니 시간제한을 두고 문제를 푸
는 연습은 틈틈이 하는 것이 좋습니다. 평소에는 모의고사 2-3주
전에 매주 1회씩 진행하고, 7-8월부터는 매주 1-2회씩 꾸준히 연습
해 봅니다.

[수학]

겨울방학 동안에 수학은 개념과 기출문제만 제대로 끝내겠다는
마음가짐으로 공부하면 됩니다. 수학은 내신용 개념과 '수능'에서
사용되는 실전 개념이 달라서 이런 부분을 인강으로 보충해 주어
야 합니다. 무엇보다 수학은 〈개념+기출문제〉를 익힐 때까지 제대
로 방향을 잡는 것이 중요하다고 생각합니다. 기출문제 하나에도
두세 가지의 풀이 방법이 있는 경우가 많아서, 혼자 공부하다 보면

이런 부분들을 놓치기 때문입니다. 또한, 한 번 맞은 문제는 다시 확인하지 않는 경우가 많아 잘못된 공부를 할 수 있습니다. 그러니 개념이랑 기출문제는 인강을 활용하길 추천합니다.

<<< TIP

3학년 내신과 수능 공부 비율은 몇 대 몇?

수시를 준비하는 학생들은 내신이 중요하다. 방학 때는 내신과 수능의 공부 비율을 5대 5로 진행하고, 내신 4주 전부터는 수능보다는 내신만 100% 집중하는 것이 좋다.

[영어]

《워드마스터 수능 2000》이나 《워드마스터 하이퍼 2000》으로 매일 1-2과씩 꾸준히 단어 암기에 집중합니다.

또한, 고3이 되면서 영어 독해는 문장 길이도 길어지고, 문장 구조가 어려워져서 해석이 막히는 경우가 많습니다. 그러니 고난도 문장에 대한 독해 연습을 추가로 하는 것이 좋습니다.

의대생이
선택한
**문제집
&인강**

<<< TIP

〈고난도 해석 연습〉
· **문제집** :《천일문 실전감각 모의고사》(K-LAB),《천일문 완성 3.0》(쎄듀)
· **인강** : 〈조정식T 믿어봐! 문장편〉, 〈이명학T 알고리즘〉

영어는 모의고사 유형별 풀이법을 공부해 두면 좋습니다. '빈칸/순서/삽입' 같은 전통적인 킬러 문제부터 요약문, 대의 파악 등 준킬러 유형까지 다양한 형식을 공부합니다. 아무리 해석이나 문법에 대한 준비가 되어 있더라도, 모의고사 유형별 풀이법에 대한 정리가 되어 있지 않으면, 실전에서 문제를 빠르고 정확히 풀어내는 데 한계가 있습니다. 그러니 겨울방학 때 유형별 풀이법에 대한 정리도 미리 해둡니다.

[탐구]

탐구는 늦어도 4월 말까지 '개념'과 기출문제만이라도 제대로 끝내겠다는 목표로 인강을 활용해 공부합니다. 독학보다는 사설 인강이 좋아서, 저는 내신/수능을 포함해서 화학은 고석용T, 물리는 배기범T, 지구과학은 오지훈T, 생명은 백호T을 들었습니다. 하지만 각자 자신이 듣고 싶은 강사를 선택해서 꾸준히 들으면 됩니다. 너무 급하게 마음먹고 겨울방학 때까지 개념과 기출문제를 모두 무리해서 끝내려고 하기보다는 인강을 꾸준히 잘 따라가는 게 유리합니다.

<<< TIP

탐구는 두 과목을 하루에 모두 하려면, 시간이 오래 걸리고 한 과목에 차분히 집중할 수 없으니 '격일'로 하는 게 좋다.

ex) 월 : 생명 공부 + 화학 복습
    화 : 생명 복습 + 화학 공부
    수 : 생명 공부 + 화학 복습
    목 : 생명 복습 + 화학 공부

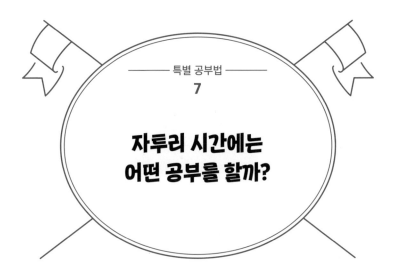

특별 공부법
7

자투리 시간에는
어떤 공부를 할까?

고등학생이 하루에 자습할 수 있는 시간은 매우 제한적입니다. 그래서 통학 시간, 쉬는 시간, 점심시간 등 자투리 시간을 아무 계획 없이 보내기는 너무나 아깝습니다. 하지만 대다수 학생은 이 시간을 그저 휴대전화를 하거나 다른 학생들과 잡담하면서 보내기 일쑤입니다. 하지만 자투리 시간에 어느 정도 일정한 공부 계획을 세워 실천한다면, 그 결과는 쌓이고 쌓여 결국 좋은 열매를 맺을 것입니다. 저는 자투리 시간을 활용해 다음 4가지 공부에 집중했습니다.

첫째는 '수업 예습 및 복습'입니다. 자투리 시간에는 그야말로 짧은 시간을 활용해야 해서 비교적 빨리 진행할 수 있는 '예습과 복습'을 하는 게 좋습니다. 예습은 그날 수업 시간에 배울 부분들에 대해서 교과서나 참고서를 미리 훑어보는 정도로 진행합니다. 복습은 그날 배운 것들과 필기해 둔 것들을 다시 읽어 보면서 이해하고 암기하는 시간을 가집니다. 이러한 예습 및 복습은 짧은 시간에도 어렵지 않게 할 수 있는 공부이면서, 수업의 집중도를 높여 주고 체계적인 공부를 도와주는 효과가 있어 짧은 시간의 투자 대비 효과가 좋은 공부법입니다.

둘째는 '영단어 암기'입니다. 단어 암기도 자투리 시간에 하기 좋은 공부 중 하나입니다. 영어 공부에 있어서 가장 중요한 영단어 암기는 하루에 최소 50단어 이상은 꾸준히 암기하는 게 좋습니다. 주어진 자습 시간에는 다른 공부를 하느라 바쁘다면 단어 암기는 쉬는 시간이나 점심시간 등의 자투리 시간을 활용하는 것이 효율적입니다.

영단어를 암기할 때는 가장 먼저 단어장의 한 과에 있는 단어들의 뜻을 가리고 영단어만 쭉 보면서 뜻을 말해 보며 틀린 것들을 체크합니다. 그리고 틀린 것은 영단어를 세 번씩 써 보면서 외웠습니다. 그리고 다시 단어들의 뜻을 가리고 암기해 말해 보면서 틀린 것들을 체크하고, 다시 또 틀린 단어는 세 번씩 더 써 보는 방식으로 암기했습니다. 이러한 영단어 암기는 평소 통학 시간과 쉬는 시간을 최대한 활용했습니다.

셋째는 '쉬는 시간을 활용해 채점하기'입니다. 쉬는 시간은 대략 10분 정도로 짧은 시간이기 때문에 지금까지 푼 문제들을 모아서 채점만 하는 시간으로 활용하는 것도 효율적인 공부 방법 중 하나입니다. 문제를 푸는 건 집중을 요구하지만, 채점은 답지를 보고 답이 맞는지, 틀리는지만 확인하면 되니 주위가 시끄러운 쉬는 시간에도 충분히 할 수 있기 때문입니다.

넷째는 '통학 시간을 활용해 개념 암기하기'입니다. 보통 학교나 학원에 갈 때는 지하철, 버스 등 대중교통을 이용해야 합니다. 저는 평소에 어렵다고 느끼거나 헷갈리는 개념들을 모아서 밤에 스마트폰 녹음기에 틈틈이 녹음해 두었습니다. 그리고 통학 시간에는 녹음해 두었던 개념들을 반복해서 들으며 암기하는 시간을 가졌고, 실제로 통학 시간을 효율적으로 활용할 수 있어서 많은 도움이 되었던 방법입니다. 자신의 목소리로 직접 녹음을 하며 개념 정리를 하고, 또 다음 날 다시 들으며 개념을 다지는 효과적인 공부법이니 꼭 활용해 보길 추천합니다.

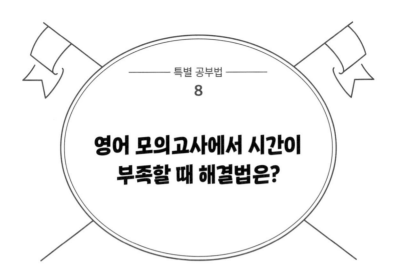

영어 모의고사에서 시간이 부족할 때 해결법은?

제가 수능 영어 시험에서 100점을 받을 수 있었던 것에는 특별한 비법이 있습니다. 바로 영어 모의고사 문제를 1번부터 45번까지 순서대로 풀지 않고 순서를 바꾸어 푼 것입니다. 저는 평소에 영어 모의고사에 나오는 유형 중 '빈칸 추론' 유형을 가장 어려워했습니다. 이 '빈칸 추론' 유형은 늘 영어 모의고사의 31, 32, 33, 34번 위치에 총 4문제가 출제됩니다. 처음 영어 모의고사를 풀었을 때는 1번부터 45번까지 순서대로 풀었는데, 31-34번 '빈칸 추론' 유형에서 시간이 너무 오래 걸리다 보니 '빈칸 추론' 유형 문제도 어려워서 틀리고, 이 유형에서 너무 많은 시간을 허비하다 보니 그 뒤쪽에 나오는 비교적 쉬운 유형의 문제들도 시간 부족으로 틀리는 경우가 많다는 것을 깨달았습니다. 그 이후로는 좀 더 효율적으로 영어 문제를 풀기 위해서 자신 있는 문제들부터 푸는 방식으로 순서를 바꾸었습니다. 그렇게 저만의 문제 풀이 순서를 만들어 나갔고, 결국 수능에서는 시험 종료 20분 전까지 자신 있는 문제들은 모두 빠르게 풀어내고, 남은 20분 동안은 어려워했던 '빈칸 추론' 유형 4문제에 충분한 시간을 투자하며 풀어서 수능 영어 100점이라는 결과를 얻을 수 있었습니다.

영어 모의고사에서 문제를 번호대로 차근차근 푸는 학생도 있을 것이고, 본인이 생각하기에 쉬운 문제부터 푸는 학생도 물론 있을 것입니다. 여기서 중요한 점은 '본인만의 문제 풀이 순서'를 정하는 것입니다. 명확한 것은 순서대로 문제를 풀면 불리하다는 점입니다. 빈칸, 순서/삽입 유형의 문제는 애초에 평가원이 학생들을 변별하기 위해 어렵게 내는 문제들입니다. 반면 가장 마지막 페이지에 있는 41-45번 문제들은 비교적 쉬운 편에 속합니다. 하지만 여러 학생을 만나보면 빈칸, 순서/삽입 유형 문제가 잘 풀리지 않아 시간을 끌다가, 결국 쉬운 41-45번 유형에서도 시간 부족으로 실수하여 등급이 내려가는 경우가 많았습니다. 그러니 모의고사에서는 본인이 자신 있고, 쉬운 문제들을 먼저 풀어야 하며, 이런 순서를 정확하게 자신만의 방식으로 만들어 둬야 합니다.

간혹 학생들이 굳이 문제 풀이 순서를 정해야 할 필요가 있는지 묻습니다. 그냥 말 그대로 '쉬운 유형'부터 풀면 되는 거 아니냐고 말입니다. 물론 집에서 연습할 때는 그게 가능할지도 모릅니다. 하지만 수능 시험장에서는 다릅니다. 긴장되는 분위기 속에서, 이 문제 하나로 내 미래가 바뀔 수 있다는 불안감 속에서 시험을 치러야 합니다. 평소에 '쉬운 유형부터 풀어야지.'라고 생각했던 학생들은 긴장감 속에서 당황합니다. 본인만의 뚜렷한 순서가 없기에 한 문제에 제대로 집중하지 못하고 우왕좌왕하다가 시간은 시간대로 흘러가고, 결국 시험을 망칠 확률이 높아집니다.

만약 본인만의 문제 풀이 순서를 확실히 해둔 학생이라면 어떨까요? 문제가 잘 풀리지 않더라도, 본인만의 풀이 계획이 있으니 마인트 컨트롤이 가능합니다. 그리고 순서대로 풀지 않더라도 중간에 '빼먹는 문제' 없이 모두 풀어낼 수 있습니다.

자신만의 문제 풀이 순서를 정하는 기준은 다음과 같습니다. 먼저 자신이 쉽다고 생각하는 문제 유형을 우선순으로 배열하고, 그 순서를 암기합니다. 다만, '빈칸 추론' 유형 문제는 가장 마지막에 푸는 것이 좋습니다. 이 문제는 특히 33번, 34번 문제는 평가원이 1등급 수를 조절하기 위해, 말하자면 '틀리라고' 낸 문제인 경우가 많습니다. 그런 문제를 풀이하는 데 너무 많은 시간을 쓸 필요는 없습니다. 33번, 34번 문제를 둘 다 틀려도 나머지 문제들을 다 맞는다면 1등급을 받을 수 있기 때문입니다. 그러니 '빈칸 추론' 유형 문제에 너무 집착하지 않도록 합니다. 열심히 풀어도 틀리는 경우가 많으니, 마지막에 푸는 게 가장 합리적입니다.

이제 '자신에게 맞는 문제 풀이 순서'를 정해 봅니다. 우선 영어 모의고사 10회분을 준비한 후, 일정한 시간 간격(2, 3일)을 두고 모두 풀어 봅니다. 10회분을 풀면서 많이 틀렸던 유형들은 풀이 순서에서 뒤쪽으로 배치합니다. 그리고 상대적으로 적게 틀린 유형들은 앞쪽으로 배치합니다. 그런 후에 A4 용지에 18~45번까지의 문제를 어떠한 순서대로 풀지 쭉 적어 봅니다. 그다음부터는 영어 모의고사를 풀 때 그 순서를 기억하고, 자신에게 맞는 문제 풀이 순서대로 풀어 보면서 체화시켜 나가면 됩니다.

　수능 영어는 100점을 받아야 하는 시험이 아닌 절대평가입니다. 90점만 넘으면 1등급을 받을 수 있습니다. 그렇다고 해서 1등급을 그냥 받을 수는 없습니다. 본인만의 확실한 전략이 있어야 하고, 그중 하나가 바로 '순서대로'가 아닌 '본인만의 문제 풀이 순서'를 정하는 것입니다. 풀이 순서를 정하는 과정에서 여러 시행착오가 있을 수 있습니다. 본인이 생각했을 때 가장 이상적인 순서였지만, 막상 그 순서대로 모의고사를 풀어 보니 오히려 시간이 더 걸릴 수도 있습니다. 그런 시행착오를 겪으며 진짜 자신에게 딱 알맞은 풀이 순서를 찾아야 합니다. 그 과정을 거쳐야 진정한 영어 1등급 실력에 한 발짝 다가갈 수 있습니다. 그러니 더 늦기 전에, '본인만의 문제 풀이 순서'를 찾기 바랍니다.

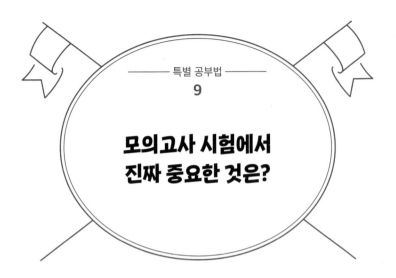

특별 공부법

9

모의고사 시험에서 진짜 중요한 것은?

고1과 고2 때는 학교에서 3, 6, 9, 11월에 모의고사를 보고, 고3 때에도 교육청 모의고사까지 포함하여 대략 6번 정도의 모의고사를 봅니다. 사실 모의고사는 성적이 중요한 것이 아닙니다. 모의고사를 본 후 자기 성적과 수준을 파악하고, 어떤 점들을 더 보완할지에 대해 고민하는 것이 훨씬 중요합니다. 저 역시 고1 때는 모의고사 경험이 적다 보니 성적과 등수에 일희일비하면서 감정적으로 반응했지만, 2학년 때부터는 늘 이 6가지를 지키면서 모의고사를 잘 활용해 더욱 발전하려고 노력했습니다. 지금부터 모의고사를 본 후에 해야 할 6가지에 대해 알아봅시다.

시험 볼 때 헷갈렸거나 찍었던 문제 확인하기 〜〜〜

모의고사를 본 후 스스로 시험지를 채점하는 과정에서 많은 학생은 본인이 틀린 문제만 확인하고 집중하는 경우가 대부분입니다. 그러나 여러분이 모의고사를 풀 당시 헷갈렸거나 찍었던 문제 역시 보완해야 할 점이 있으니 채점할 때 꼭 따로 확인하고, 틀린 문제를 고칠 때 함께 정리합니다.

전문가에 의한 해설 강의 듣기 〜〜〜

모의고사가 끝나면, EBS나 사설 인강 사이트에 해설 강의가 하나씩 올라오기 시작합니다. 틀린 문제만 해설 강의를 골라 듣는 것보다는 반드시 '모든 문항'에 대한 해설 강의를 듣도록 합니다. 무엇보다 인강 선생님들과 자신의 풀이를 비교하면서 정리하는 것을 추천합니다. 아무리 맞은 문제라고 해도 답만 맞고, 풀이 과정은 잘못되었을 수 있으며, 자신이 풀었던 방식보다 좀 더 빠르고 새로운 풀이 방식이 있을 수도 있기 때문입니다.

전 과목 학습 방향 점검 〜〜〜

모의고사 점수를 바탕으로, 각 과목에 대한 학습 방향을 점검하고 부족한 부분을 보완할 수 있는 학습 계획을 세워야 합니다. 만약 영어 시험에서 '빈칸 추론' 유형 문제를 많이 틀렸다면, 기출문제집을 통해 관련 문제를 더 풀어 보거나, '빈칸 추론' 유형의 풀이법을 다루는 인강을 들으며 보충 공부를 하는 식으로 계획을 세워 봅니다.

모의고사 당일만 후회·반성·좌절·행복하기 〰〰

모의고사에 대한 후회·반성·좌절·행복 등의 감정은 모의고사 당일까지만 느끼고 털어내는 것이 좋습니다. 그다음 날부터는 그다음 모의고사 그리고 가장 마지막인 수능이 기다리고 있으니, 다시 마음을 잡고 정신을 번쩍 차리어 앞만 보고 묵묵히 공부를 시작합니다.

친구들과 모의고사 성적 공유하지 않기 〰〰

모의고사 시험을 본 후 자기 성적을 다른 친구들과 공유하는 학생들도 많습니다. 하지만 시험 성적을 공유해서 얻는 건 없습니다. 성적을 공유했을 때 자신보다 시험을 잘 본 친구가 있으면 배만 아프고, 자신보다 못 본 친구가 있으면 그저 조금의 위로와 자만만 느낄 뿐입니다. 그러니 모의고사 성적을 친구들과 공유하기보다는 자기만 간직한 채 그 결과를 보면서 성찰하고 학습 방향을 다시 설정하는 것이 좋습니다.

마인드 컨트롤하기 〰〰

평소보다 모의고사 성적이 잘 나왔을 때는 자만하지 않는 것이 중요합니다. 실제 우리가 보게 될 수능은 이번 모의고사보다 훨씬 더 큰 긴장감과 압박감 속에서 낯선 교실, 낯선 선생님, 낯선 학생들과 시험을 보게 됩니다. 어쩌면 이번 성적은 편안한 환경에서 봤기 때문에 그나마 더 잘 나온 것일 수도 있습니다. 그러니 늘 겸손함을 잃지 말아야 합니다.

　또한 평소보다 모의고사 성적이 안 나왔다면 절대로 크게 좌절할 필요는 없습니다. 만약 이 성적이 자신의 '수능 성적'이었다고 상상해 보면 돌이킬 수 없는 결과일 것입니다. 그러나 '이 낮은 성적이 수능이 아닌 게 얼마나 다행인가!' 하고 생각하면 기분이 훨씬 나아집니다. 이 낮은 성적이 모의고사 때 나와서 정말 다행이고, 이번 시험에서 발견한 약점들을 앞으로 잘 보완해서 수능 때는 이 성적을 받지 말아야겠다는 굳은 다짐을 하면 전화위복이 될 수 있습니다.

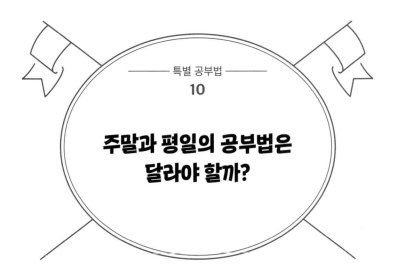

특별 공부법
10

주말과 평일의 공부법은 달라야 할까?

저는 물론 매일 열심히 공부하면서 중고등학교를 보냈습니다. 특히 평일에는 학교에 다니느라 개인 공부를 할 시간이 부족했기 때문에 늘 주말은 필요한 공부를 충분히 보충할 수 있었던 소중한 시간이었습니다. 그중 '매주 일요일'에는 다른 날들과 달리 늘 하려고 했던 3가지 공부가 있었습니다. 일요일마다 했던 이 3가지 공부는 고등학교 3년 동안 저의 공부 루틴이 되었고, 좀 더 높은 성적을 받을 수 있는 밑바탕이 되었습니다. 지금부터 소개하는 이 방법을 여러분도 참고하여 일요일마다 실천해 보길 추천합니다.

첫째, 1주일 동안 공부한 내용을 복습합니다. 내신이든, 수능이든 늘 공부해야 할 게 많습니다. 개념이 끝나면 기출문제 공부를, 기출문제 공부가 끝나면 또 다른 문제집을, 문제집이 끝나면 실전 연습을 하며 끝없는 학습이 이어집니다. 그러다 보니 빨리 진도를 나가야 한다는 압박감을 느끼고, 제대로 된 복습보다는 계속해서 진도만 나가려는 학생들이 많습니다. 그러나 자신이 공부한 내용이 단기 기억으로 끝나는 것이 아닌 장기 기억으로 남도록 하려면 규칙적인 복습이 중요합니다. 그래서 저는 '매주 일요일'을 〈복습의 날〉로 정해 두고 늘 일요일에는 각 과목 당 20-30분씩 투자해서 전반적으로 공부했던 것들을 복습하고, 틀렸던 문제들 위주로 다시 풀어 보면서 복습했습니다.

둘째, 3주 단위로 영단어를 누적 복습했습니다. 저는 시험 기간이 아닐 때는 매일 단어장을 1-2과씩 꾸준히 암기했습니다. 그리고 매주 일요일은 늘 3주 분량에 대해 영단어 누적 복습을 진행했습니다. 이때 2주 전 암기한 단어, 1주 전 암기한 단어, 이번 주에 암기한 단어로 나누어 진행했는데 2주 전에 암기한 단어는 어려워서 체크한 단어만 빠르게 눈으로 확인하고, 1주 전에 암기한 단어들은 어려웠던 것뿐만 아니라 모든 단어를 점검해 보면서 혹시 놓친 부분은 없는지 확인했습니다. 또 이번 주에 암기한 단어는 처음부터 끝까지 2번 반복해 확인하면서 꼼꼼히 다시 한번 확인하는 식으로 진행했습니다.

셋째, 시간을 정해 두고 문제 푸는 연습을 했습니다. 내신 시험과 수능 시험 모두 결국 '시간 내'에 풀어야 하는 시험이기 때문에 시간 압박을 이겨내는 것이 중요하고, 그러기 위해서는 평소에 '시간을 재고 푸는 연습'을 하는 것이 좋습니다. 그래서 저는 매주 일요일을 시간 안에 문제를 푸는 훈련의 날로 정했습니다. 내신 시험 기간일 때는 고등학교 시험 시간인 50분에 맞추어 따로 구매한 OMR 카드에 30문제 정도를 시간 내로 풀어서 마킹하는 것까지 연습했습니다. 그러니 여러분도 매주 일요일은 최소 두 과목 정도 정해서 '시간 안에 문제 풀기' 연습을 하면 많은 도움이 될 것입니다.

의대생이 생각하는 의대의 장단점

의대의 장점은?

1. 수학을 공부하지 않는다!

내신과 수능 공부를 하면서 가장 힘들고 부담스러운 과목을 수학이라고 생각하는 사람이 많을 것입니다. 이런 수학을 대학교에 와서도 배워야 한다면 정말 싫겠지요. 그런데 대부분 이과 계열 학과에서는 '대학수학'을 배우지만, 의대에서는 수학을 배우지 않습니다. '기초통계학'이라는 통계 관련 과목이 있기는 하지만, '대학수학'과는 다른, 고등학교 '확률과 통계' 느낌이라 큰 부담이 없습니다.

2. 입학 후 2년 동안 자유로운 시간이 있다!

요즘 사회는 취업이 쉽지 않고, 그로 인해 학점 관리도 중요하기 때문에 대부분 대학생은 1학년 때부터 각종 대외 활동을 통해 스펙을 쌓고, 시험공부도 열심히 하면서 학점 관리를 해야 합니다. 하지만 의대는 대부분 '예과 2년 + 본과 4년'으로 되어 있습니다. 예과 2년 동안의 성적은 나중에 의사가 될 때 거의 반영이 되지 않기에 시험에 대한 부담이 적습니다. 그래서 이 예과 2년 동안은 평소에 하고 싶었던 것들을 마음껏 할 수 있습니다.

3. 미래에 대한 걱정이 적은 편이다!

어떤 과를 진학하더라도, 미래에 어떤 일을 해야 할지에 대한 고민도 많고 다양한 회사에 지원하면서 취업을 위해 많은 노력을 해야 합니다. 하지만 의대는 6년 동안의 학교 커리큘럼을 충실히 잘 따라가면 대부분 의사가 될 수 있어서 미래에 대한 걱정이 적은 편입니다. 이미 미래가 어느 정도는 정해져 있다는 것에 안정감을 느낄 수 있습니다.

선배들이 생각하는 의대의 장단점은?

박종명(중앙대 의대 21학번)

의대는 갈 길이 정해져 있어 안정적이라는 점이 장점입니다. 단점은 의사가 되어도 개원하기까지 시간이 오래 걸린다는 점, 졸업과 수련 과정이 힘들다는 점 등입니다.

이홍석(중앙대 의대 21학번)

장점으로는 일단 학점 걱정 없이 편하게 대학 생활을 즐길 수 있는 예과 생활이 있다는 것입니다. 하지만 한번 예과 생활을 맛보면 본과 때 공부에 적응하기 힘들다는 단점이 있습니다.

또한 의대에서 학년이 올라갈수록 점점 공부량이 폭증하고 엄청난 학업 스트레스를 견뎌내야 합니다. 의사가 되겠다는 사명감이 없이는 견디기 힘든 경쟁과 학업이 이어진다는 것이 단점일 수 있습니다.

백승현(중앙대 의대 21학번)

의대의 장점은 무엇보다 미래에 대한 부담이 적다는 것입니다. 정해진 코스를 따라 꾸준히 정진하면 의사가 되고, 안정적인 직장을 얻을 수 있기 때문입니다. 특히 앞으로 무엇을 해야 할지 고민하는 시간은 줄이고 열심히 공부에 매진하게 만드는 시스템입니다. 하지만 이는 단점이 될 수도 있습니다. 자신이 원하는 연구를 하기에는 시간이 부족하고, 어쨌든 의사 면허를 따기까지 오랜 시간이 걸립니다. 남자라면 군의관이나 공보의까지 마쳤을 때 번듯한 전문의가 되기까지 15년 정도가 걸린다는 것도 단점이라고 하겠습니다.

김은수(중앙대 의대 22학번)

입학과 동시에 커리큘럼만 따라가면 의사의 꿈을 이룰 확률이 무척 높다는 게 장점입니다. 그리고 의대 안에는 동아리도 아주 많아서 자기 적성과 호기심에 맞는 동아리를 찾기가 어렵지 않습니다. 반면에 치열한 성적 경쟁은 단점입니다. 어느 과의 전문의 면허를 따느냐가 중요한 만큼 의대 안에서 끝없는 성적 경쟁이 이루어지는 부분은 힘든 점입니다.

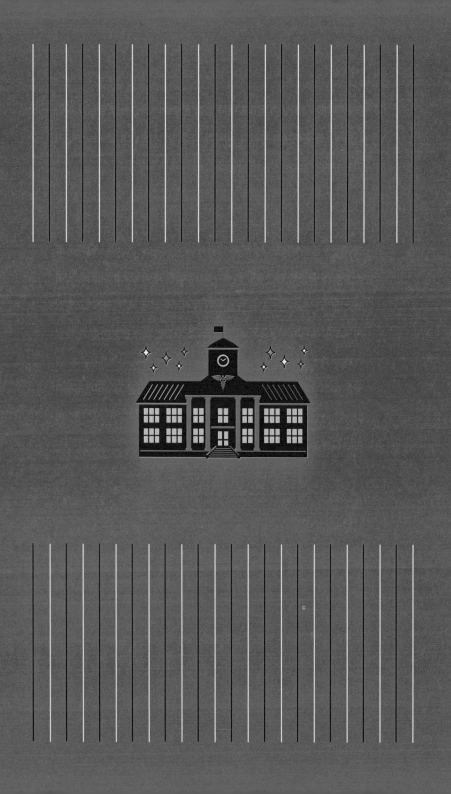

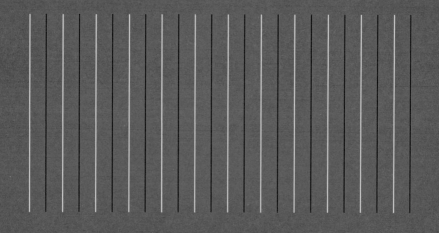

4장

의대생이 되기 위한
멘탈 관리법

시험 전후, 절대 흔들리지 않는 멘탈 관리법은?

여러 학생과 상담해 보면 내신 공부든, 수능 공부든, 멘탈 관리가 가장 힘들다는 학생들이 정말 많습니다. 고등학교 3년을 누구보다 효율적으로 잘 보내려면 멘탈 관리가 정말 중요합니다. 고등학교 3년 동안 계속되는 시험 속에서 정신적으로 흔들리기 쉽기 때문입니다.

저는 사소한 일에 감정이 쉽게 흔들리지 않도록 노력했습니다. 가끔 내신 시험을 잘 보지 못하더라도 좌절하지 않았습니다. 자신을 믿었기에 이번 시험에서는 기대보다 낮은 점수를 받았더라도, 다음에는 무조건 더 잘 볼 수 있다는 생각으로 다시 의지를 불태우며 공부했습니다. 모의고사 시험을 잘 보지 못해도 흔들리지 않았습니다. 만약 이 점수가 수능이었다면 결코 좋은 대학에 가지 못했을 것이기에, 모의고사 때 낮은 점수를 받는 것을 오히려 다행이라 여기고 두려워하지 않았습니다. 오히려 제 약점을 알게 해준 고마운 존재라고 생각하면서 부족한 부분을 채우기 위해 더욱 노력했습니다.

제 방법이 정답은 아니겠지만, 실제로 고등학교 때 도움을 받았던 3가지 멘탈 관리법에 대해 알려드립니다.

첫째, 주변 친구들과 나누는 공부 관련 대화를 줄입니다. 자신보다 공부를 잘하는 친구와 공부에 관해 이야기하면, 자신을 그 친구와 비교하기 시작하며 스스로 뒤처지고 있는 것 같은 생각이 들어 우울해지고 좌절감을 느낍니다. 반면 자신보다 공부를 못하는 친구와 공부에 관해 이야기하면, 자칫 자만심에 빠질 수 있고 이런 감정은 오히려 공부에 방해가 됩니다. 그리고 특히 시험 당일에는 친구들과 대화 자체를 줄이는 것이 좋습니다. 시험이 시작되기 전에 이번 시험에 뭐가 나올지 예측하면서 시간을 보내는 친구들이 많습니다. 하지만 시험 보기 전에는 그동안 했던 공부를 전반적으로 정리하는 시간을 가지는 것이 친구들과 의미 없는 수다를 떠는 것보다 훨씬 좋습니다. 또 시험이 끝나자마자 친구들과 서로 답을 맞혀 보는 경우도 많습니다. 저는 고등학교 3년간 단 한 번도 시험이 끝나자마자 답을 맞혀 보지 않았습니다. 그 시간에 바로 그다음 시험 볼 과목을 정리하고 공부하는 데 집중했습니다. 사실 중학교 때는 시험이 끝날 때마다 바로 문제의 답을 다른 친구들과 비교해 보고 채점하는 데 열을 올리기도 했었습니다. 그런데 이렇게 하다 보니 제가 틀렸던 문제들이 머릿속에 자꾸 떠올라서 그다음 시험에 방해가 되었습니다. 그래서 고등학교 때부터는 한 시험이 끝나면 쉬는 시간에 답을 비교해보는 것보다 그다음 과목 공부에 집중했고, 이렇게 하니 그 전 시험과는 상관없이 각 시험에 집중할 수 있었습니다.

그러니 시험 당일의 가장 좋은 멘탈 관리는 주변 친구들과 공부 관련 대화를 줄이고 자신의 공부에 오로지 집중하는 것입니다. 실제로 황농문 교수의 저서 《공부하는 힘》에 따르면 자기 공부에 몰입하기 위해서는 늘 자신의 공부에 대해 고민하고 생각하는 것이 중요하다고 합니다. 이처럼 자기 공부에 오로지 집중하는 멘탈 관리법을 활용한다면 분명히 많은 도움이 될 것입니다.

둘째는 응원 멘트를 녹음하는 것입니다. 치열한 내신 시험 기간에는 아무리 친한 친구 사이라도 서로 경쟁해야 하므로 다들 예민해집니다. 저는 이럴 때마다 스스로 응원하는 멘트를 스마트폰에 녹음해 두고, 시험 1주 전이나 공부가 힘들고 포기하고 싶어질 때 틈틈이 들었습니다. 스스로 '할 수 있어', '열심히 잘하고 있고, 내가 노력한 만큼 잘 나올 거야', '너무 걱정하지 마. 지금처럼만 하면 돼' 등 여러 응원 멘트를 녹음해서 들었습니다. 처음에는 뭔가 낯설고 이상하다고 느낄 수도 있지만, 이 방법은 자신감을 불러일으키고 목표를 잃지 않게 하는 데 많은 도움이 되었습니다.

마지막으로 시험이 끝난 뒤, 틀린 문제를 오려서 잘 보이는 곳에 붙여 두는 것입니다. 내신 시험과 모의고사마다 실수가 반복되면, 다음에 또 다시 실수할까 봐 마음이 불안해집니다. 이것을 극복하려면 자신의 실수를 정면으로 마주하는 것이 좋습니다. 시험이 끝나면, 시험지를 버리거나 다시는 보지 않기보다는, 틀린 문제들을 오려서 잘 보이는 곳에 붙여 둡니다. 틀린 문제들은 다시 쳐다도 보기도 싫은 게 사람 마음입니다. 하지만 매일 자신의 실수를 정면으로 바라보면서 왜 그때 틀려야만 했는지 끊임없이 반성하고, 다음에는 같은 실수를 하지 않겠다고 다짐해 봅니다.

이 훈련은 최근에 자주 언급되는 '메타인지', 즉 자신이 무엇을 알고 무엇을 모르는지를 정확히 알고 부족한 부분을 채울 수 있는 능력을 키우는 데 많은 도움이 됩니다. 그 밖에도 메타인지 발달을 위해서 모르는 내용을 꾸준히 메모하는 습관도 중요합니다.

고등학교 내신 시험은 단 한 번의 성적으로 대학 입시가 결정되는 것이 아닙니다. 1학년 때부터 3학년 때까지 총 3년의 세월을 평가받는 것입니다. 그러니 시험마다 큰 의미를 부여하고 지나친 좌절감과 후회로 공부에 회의를 느낄 필요는 없습니다. 이번에 시험을 잘 보지 못했더라도, 다음 시험에서 만회할 기회가 충분히 있기 때문입니다. 그러니 위의 3가지 멘탈 관리법을 참고하여 굳은 의지와 마음가짐으로 고등학교 3년을 잘 헤쳐 나가 봅시다.

멘탈 관리법
2

자신에 대해 부정적인 생각이 들 때는?

여러분은 지금 청소년기를 지나고 있습니다. 이때는 자아정체성이 형성되는 시기로 공부에만 집중하기 힘들 정도로 여러 가지 의문과 고민이 생기기도 합니다. 특히 현재 자기 모습을 끊임없이 살펴보며 실망도 하고 불만도 가지는 경우가 많습니다.

─ 왜 나는 공부를 해도 성적이 안 오를까?

─ 왜 나는 저 친구처럼 발표를 잘 하지 못할까?

─ 왜 나는 예쁘지 않을까? 왜 나는 뚱뚱할까?

─ 왜 나는 공부를 해야 할까? 왜 나만 힘든 것 같지?

자신에 대한 부정적인 생각이 밀려들기도 하고 그로 인해 자신이 미워지기도 합니다. 그리고 대부분 이런 생각들은 공부를 방해하고 집중도를 떨어뜨리며 끊임없이 다른 생각 속에 빠지게 만듭니다. 그렇게 계속해서 자신을 갉아먹고, 자기 탓을 하게 만듭니다.

고등학교 생활에서 중요한 것 중 하나는 감정적인 기복을 줄이는 것입니다. 평소에 너무 들떠 있다가 갑자기 기분이 안 좋아지고, 어떨 때는 그 반대가 된다면 공부에 제대로 집중하기 힘들 것입니다. 감정에 동요되기보다는 묵묵히 본인에게 주어진 것들을 하나둘 해나가는 것이 중요합니다. 자기 외모, 체형, 능력에 대한 고민은 이 시기에 자연스러운 것이지만, 이러한 고민이 자신을 지배하지 않도록 해야 합니다. 그럴 수 있기를 바라는 마음에 '진흥왕 순

북한산에 있는 진흥왕 순수비   국립중앙박물관에 있는 진흥왕 순수비

출처 : 우리역사넷

수비'에 대한 이야기를 해보겠습니다.

진흥왕 순수비는 6세기 중엽, 신라 진흥왕이 한강 유역을 고구려와 백제에서 빼앗은 후에 그 영토를 선포하려고 세운 비석입니다. 136p의 왼쪽 사진은 '북한산 정상'에 있는 진흥왕 순수비입니다. 영토를 정복하고 세운 비석답게 북한산 정상에서 광활한 자연과 어우러지며 그 당시 진흥왕의 위엄을 멋있게 보여 주고 있습니다.

현재 북한산 정상에 세워진 진흥왕 순수비는 보존을 위해 원본을 국립중앙박물관으로 옮겼습니다. 136p의 오른쪽 사진은 국립중앙박물관에 있는 진흥왕 순수비입니다. 하지만 산 정상에 있을 때와 달리 박물관에 있는 진흥왕 순수비에서는 웅장함을 느끼기가 어렵습니다. 단지 하나의 비석으로만 보일 뿐입니다.

만약 자신이 미워질 때, 스스로 무가치한 사람이라고 느껴질 때는 '진흥왕 순수비'를 떠올려 보길 바랍니다. 똑같은 진흥왕 순수비이지만, 어디에 위치하느냐에 따라 그 가치는 전혀 달라집니다. 여러분도 마찬가지입니다.

여러분은 모두 가치 있는 사람이고, 엄청난 잠재력을 가진 사람입니다. 자기 자신이 미워 보이는 순간은 박물관에 있는 순수비처럼 자신의 탓이 아닌, 주변 환경 때문에 잠시 빛을 잃었을 뿐입니다. 이 시기만 잘 넘긴다면, 광활한 자연과 어우러져 그 매력을 발산하는 순수비처럼 각자의 위치에서 더욱 빛나는 가치 있는 사람으로 성장할 것입니다.

그러니 자신에 대한 부정적인 생각에 휩싸일 때는 '지금 이 순간은 내가 빛나지 못하는 주변 환경에 잠깐 머물고 있다'라고 생각해 봅니다. 그리고 이 순간을 잘 이겨내면, 여러분은 더욱 빛나는 바로 그 위치에 있게 될 것을 명심합니다. 여러분은 모두 소중하고 가치 있는 존재입니다. 그러니 아무리 힘든 상황이라도 꿋꿋이 잘 이겨내어 목표를 향해 달려가세요. 언젠가 여러분의 진가가 발휘되는 순간이 찾아올 것입니다.

멘탈 관리법
3

몸무게가 늘어
고민일 때는?

많은 학생이 체중 증가에 대해 고민을 합니다. 고등학교 시기는
학교와 학원 등 기본적으로 자리에 오래 앉아 있는 시간이 많으니
운동량이 부족하여 몸무게가 느는 경우가 많습니다. 부족한 운동
량을 채우기 위해서는 학교에서 점심이나 저녁을 먹은 뒤, 친구들
과 운동장을 2-3바퀴 정도 걸으면서 가볍게 운동하는 것이 좋습니
다. 그래야 식곤증도 덜하고 몸무게도 무턱대고 늘지 않습니다. 가
능하다면 배드민턴 같은 가벼운 운동을 꾸준히 하는 것도 좋습니
다. 하지만 고2, 고3이 되면 점점 이러한 시간조차 줄어들고 어쩔
수 없이 오래 앉아 있게 됩니다. 이 시기는 따로 시간을 내서 운동

을 하기 힘드니 차라리 몸무게가 느는 것에 스트레스받지 않고 공부에만 집중하는 것이 도움이 됩니다. 이를 위해 저는 '10kg 증가 법칙'이라는 말을 만들어 응원하고 있습니다.

'10kg 증가 법칙'이란 지금부터 수능을 보기 전까지 살이 최소 10kg는 쪄야 목표한 대학에 합격할 수 있다는 뜻으로 제가 만들어 낸 법칙입니다. 저는 고등학교 3학년이었던 2020년에 1년 동안 무려 10kg가 넘게 체중이 늘었습니다. 그 이유는 움직임을 최소화하고 앉아서 공부만 했기 때문입니다. 중고등학생은 공부만 하다 보면 외모나 체형에 신경을 잘 쓰지 못할 때도 생기고, 이것 때문에 스트레스를 받기도 합니다. 특히 한창 외모에 관심이 많을 시기에 자꾸만 '살'이 찌면서 주변의 시선도 신경 쓰이고 자신에 대해 부정적인 생각이 싹트게 됩니다.

하지만 '10kg 증가 법칙'을 생각한다면, 체중 증가도 훨씬 긍정적인 시선으로 바라볼 수 있습니다. 체중이 늘어서 자기 관리를 못 했다고 생각하고, 자책하며 공부보다 외모에 더 신경을 쓰기보다는, '의대에 합격한 사람도 고3 때 10kg 넘게 찐 것처럼 공부만 열심히 하면서 계속 책상에 앉아 있으니까 살이 찌는 건 당연하구나. 내가 살이 찐 것은 공부를 정말 열심히 했다는 결정적인 증거구나!'라고 생각합시다.

체중이 늘면 물론 건강에 좋지는 않습니다. 하지만 학생 시기, 특히 고등학교 3학년 시기에는 엄청난 운동을 하거나 다이어트를 할 시간도 없을뿐더러 앉아서 공부하는 시간이 많아지니 체중이 느는 것은 어떻게 보면 아주 자연스러운 일입니다. 저는 고3 때 10kg 이 넘게 쪘지만, 의대에 입학해서 지금까지 20Kg 넘는 체중을 감량할 수 있었습니다. 여러분도 지금 시기만 잘 견뎌내면 나중에 대학생이 되어 충분히 원하는 몸매를 가질 수 있을 것입니다. 그러니 '10kg 증가 법칙'만 생각하면서 체중에 대한 스트레스는 날려 버리고 오로지 공부에만 집중하기를 바랍니다.

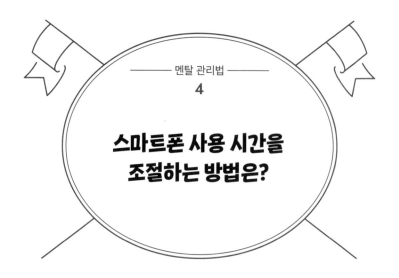

멘탈 관리법 4

스마트폰 사용 시간을 조절하는 방법은?

대부분 고등학생은 스마트폰을 가지고 있습니다. 스마트폰을 가지고 유튜브부터 넷플릭스, 티빙을 포함한 각종 OTT 그리고 다양한 수험생 커뮤니티 및 SNS 활동까지 다양한 용도로 활용합니다. 물론 스스로 스마트폰 사용 시간을 잘 조절하고 절제하는 학생들도 있지만, 많은 학생이 스마트폰 사용 시간이 과도하게 많아 공부에 방해되는 경우가 다반사입니다. 저는 중학교 3학년 때 학생회장이 되면서 SNS를 사용하는 시간이 크게 늘었습니다. 학생회장이 된 후 많은 학생이 저를 알게 되었습니다. 저는 페이스북에 게시물도 자주 올리고 학생들의 반응을 보는 것에 한창 재미를 느끼기 시작했습니다. 그러다 보니 점점 스마트폰을 사용하는 시간도 길어졌고, 정말 중요한 시험을 앞두고도 공부에 집중하지 못하고 20-30분마다 스마트폰을 들여다보는 자신을 발견할 수 있었습니다. 이런 모습이 고등학교까지 이어지면 안 된다는 생각에 정신이 번쩍 들었습니다. 저는 스마트폰 사용 시간을 무조건 줄여야겠다는 생각에 나만의 조절 방법들을 다양하게 시도해 봤습니다. 그중 가장 도움이 되었던 3가지 방법을 소개합니다.

우선 첫 번째 방법은 공부할 때는 스마트폰이 눈에 보이지 않게 하는 것입니다. 개인적으로 이 방법이 가장 효과가 좋았습니다. 스마트폰 중독을 예방하기 위해서 스마트폰 잠금 화면을 설정하거나 사용 시간을 스스로 정하기도 해 보았지만, 결국 주변에 스마트폰이 있으면 습관적으로 만지게 되고 사용을 멈추기 힘들어집니다. 한번은 스마트폰 사용 시간을 줄여 보려고 사용 시간을 딱 10분으로 제한해 보았지만, 유튜브에 있는 20-30분 분량의 영상을 보다 보면 시간이 금방 지나게 되어 번번이 실패했습니다. 하지만 아예 스마트폰 자체를 시야에서 치우니, 습관적으로 만지는 일도 줄어들고 나중에는 아예 볼 생각이 나지 않았습니다. 그러니 공부할 때만큼은 꼭 스마트폰을 눈에 보이지 않는 곳에 보관하길 바랍니다.

두 번째 방법은 등하교 시간에만 스마트폰을 하는 것입니다. 스마트폰 중독을 막기 위해서는 스스로 사용 시간을 설정해 두는 것이 좋습니다. 가장 좋은 방법은 학교 등하교하는 시간에만 스마트폰을 하는 방법입니다. 물론 걸어서 학교에 가는 학생들은 힘들겠지만, 대중교통이나 부모님 차를 타고 등하교를 한다면 이 시간을 스마트폰 사용 시간으로 활용할 수 있습니다. 등하교 시간에는 공부할 여건이 안 되기 때문에 이때만 스마트폰을 하고 그 이외 시간에는 스마트폰을 되도록 사용하지 않으려고 노력한다면 스마트폰에 중독되는 일은 없을 것입니다.

세 번째 방법은 스마트폰 용도를 하루에 한 가지로만 정하는 것입니다. 대부분 스마트폰을 이용해서 유튜브, SNS, 수험생 커뮤니티, OTT 등 다양한 활동을 합니다. 하지만 스마트폰 사용 시간을 줄이기 위해서는 이러한 다양한 활동 중에서 하루에 할 것을 딱 한 가지로만 제한하는 것이 필요합니다. 하루에 유튜브, SNS, 수험생 커뮤니티, OTT를 다 하려고 하면 자연스레 스마트폰 사용 시간이 늘어날 수밖에 없습니다. 그러니 만약 하루 스마트폰 이용 시간을 30분으로 정해 두었다면, 오늘은 SNS만 하고, 내일은 수험생 커뮤니티만 보고, 모레는 유튜브만 보는 등 하루에 딱 한 가지의 용도로만 활용하는 것이 이용 시간 지키기에 도움이 됩니다.

스마트폰을 아예 없애는 방법은 추천하지 않습니다. 학생이 종일 공부만 할 수는 없기에, 결국 휴식 시간이 어느 정도는 필요합니다. 그리고 그 대표적인 방법이 스마트폰이기에 휴식의 용도로 활용되는 스마트폰을 아예 없애는 것은 오히려 공부에 도움이 되지 않습니다. 그리고 학교에서의 다양한 공지나 학교 조별 활동은 카톡으로 소통하는 경우도 많기에, 스마트폰이 없으면 일상생활이 불편할 수도 있습니다. 그러니 이 3가지의 방법을 활용하여 적절하게 스마트폰 사용 시간을 조절하면 좋겠습니다.

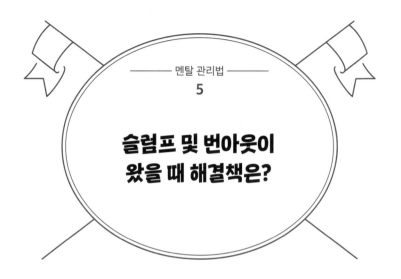

슬럼프 및 번아웃이 왔을 때 해결책은?

　학생들이 가장 두려워하는 것이 바로 '슬럼프'와 '번아웃'입니다. 슬럼프는 자신의 실력을 제대로 발휘하지 못하는 부진 상태가 긴 시간 동안 이어지는 상황을 말하고, 번아웃은 한 가지 일에 지나치게 몰두하던 사람이 극도의 신체적, 정신적 피로로 무기력증, 자기 혐오 등에 빠지는 증후군을 말합니다. 결국 슬럼프와 번아웃 둘 다 공부에 지쳐서 실력이 제대로 발휘되지 못하고, 공부 자체에 싫증을 느껴 부정적인 감정에 휩싸이는 것입니다. 정말 중요한 내신, 수능 등을 앞두고 이러한 슬럼프나 번아웃이 오면 성적에 큰 영향을 미치기 때문에 이에 대한 원인을 알고 명확한 해결책을 가지고 있는 것이 좋습니다. 공부 슬럼프 및 번아웃을 겪는 원인은 총 3가지로 나눌 수 있습니다.

공부를 하면서 쉬는 시간을 거의 갖지 않은 경우 ~~~~

고등학교에서는 워낙 해야 할 공부가 많기에, 좀 더 공부를 많이하고 싶어서 밥 먹는 시간도 제대로 지키지 않고, 주기적인 쉬는 시간도 없이 오로지 공부에만 집중하는 학생들이 있습니다. 하지만이렇게 휴식 없이 공부만 하게 되면, 결과적으로는 공부에 쉽게 지치고 싫증을 느껴 슬럼프, 번아웃으로 이어지기 쉽습니다.

공부를 열심히 했지만, 성적이 오르지 않은 경우 ~~~~

정말 굳은 의지로 잠을 자는 시간까지 줄여가면서 열심히 공부했는데 성적이 거의 오르지 않았다면, 큰 좌절감을 느끼게 됩니다.그러면 어차피 공부를 열심히 해도 성적이 오르지 않을 거라는 생각이 들면서 공부에 대한 흥미가 떨어지고, 이는 슬럼프와 번아웃으로 이어질 수 있습니다.

공부에 뚜렷한 목표가 없는 경우 ~~~~

나중에 어떤 과에 진학해서 어떤 일을 하고 싶은지에 대한 뚜렷한 목표 없이, 그저 고등학생이라는 이유로 열심히 공부만 하던 학생들은 고등학교 1학년 때는 괜찮을 수 있지만, 공부가 반복될수록 목표가 없기 때문에 더욱 쉽게 지치는 경향이 있습니다. 반면, 공부에 목표가 있는 학생들은 공부가 힘들고, 포기하고 싶은 순간이 오더라도 자신의 꿈과 목표를 위해 이겨내고 끝까지 열심히 해내는 모습을 볼 수 있습니다.

　이렇듯 보통은 대표적인 3가지 원인으로 학생들은 공부의 슬럼프 및 번아웃을 겪습니다. 이러한 심리적 영향으로 내신 시험에서 낮은 성적을 받으면 추후 입시에서 불리한 조건에 처하게 됩니다. 그러니 이를 예방하고 관리하는 것이 중요합니다. 그렇다면 공부 슬럼프 및 번아웃을 예방하고 해결하는 방법은 무엇이 있을까요?

　첫째, 공부에 대한 슬럼프와 번아웃이 왔을 때는 먼저 주말 동안 공부하지 말고, 평소에 하고 싶은 것들만 하면서 시간을 보내 봅니다. 현재 자신의 상황을 받아들이지 못하고, 책상에 앉아서 어떻게든 공부를 해보려고 하면 스트레스만 더욱 쌓이게 마련입니다. 이 시기는 '휴식'이 필요한 시기로, 확실하게 공부를 잠시 멈추고 휴식을 취하는 것이 좋습니다. 저는 고등학교 2학년 때 공부 자체에 싫증을 느끼는 슬럼프가 찾아왔던 적이 있었습니다. 그때 주말 이틀 동안은 학원도 가지 않고, 좋아하는 영화를 보고 맛집을 찾아다니며 온종일 놀았던 기억이 있습니다. 이렇게 제가 정말 좋아하는 것들을 이틀간 마음껏 해보니 재충전되는 기분이 들었고, 다시 그다음 주 월요일부터는 집중해서 공부할 수 있었습니다. 공부가 하기 싫고 지칠 때는 주말 이틀간 정말 하고 싶었던 것들만 하면서 재충전하는 시간을 가져보는 걸 추천합니다.

둘째, 공부의 목표를 더욱 뚜렷이 하는 것입니다. 무엇을 위해 지금 공부하고 있는지를 다시 한번 되새기며 마음을 다잡습니다. 저는 의사가 되고 싶다는 확실한 목표가 있었기 때문에 아무리 공부가 힘들어도 '의대 진학'이라는 목표 하나만 바라보면서 고3 끝까지 잘 버텨낼 수 있었습니다. 초반에 자신만의 목표를 세웠어도 바쁘게 공부하다 보면 어느새 잊힐 수 있고 열정도 사그라들 수 있습니다. 이럴 때는 주말에 시간을 내어 진학하고 싶었던 학교나 학과 관련 동영상을 보면서 다시 한번 공부 의지를 다져봅니다.

셋째, 선생님이나 전문가와 상담하는 것입니다. 공부가 잘되지 않아 방황하는 현재 자신의 상황을 혼자서만 고민한다면, 문제가 해결되기보다는 계속해서 쌓여만 갈 것입니다. 공부가 힘들고 너무 집중이 안 될 때 학교에 계시는 상담 선생님에게 상담 신청을 하거나, 담임선생님에게 자신의 문제에 대해 고민을 나누면서 객관적으로 자신을 돌아보는 시간을 가져봅니다. 이처럼 고민을 타인과 공유하는 것만으로도 고민을 덜 수 있고, 타인의 조언을 듣고 실천하면서 자연스레 그 고민이 해결되는 경우도 많습니다. 그러니 혼자서 모든 것을 떠안으려 하기보다는 주변 선생님이나 전문가의 상담을 통해 해결해보는 것도 하나의 방법이 될 수 있습니다.

마지막으로, 평소보다 공부 계획을 1/3로 줄이는 것입니다. 공부가 손에 잘 잡히지 않을 때, 평소처럼 계획을 세우고 무리해 공부하려다 보면 당연히 그만큼의 목표를 달성하지 못할 것이고, 목표만큼 하지 못했다는 생각에 더욱 스트레스가 쌓입니다. 그러니 꼭 공부를 해야 할 상황이라면, 평소보다 계획을 1/3로 줄여서 성취감을 조금이라도 느끼는 것이 훨씬 유리합니다.

공부의 슬럼프와 번아웃, 누구나 언젠가 겪을 수 있는 일들입니다. 하지만 이를 겪었을 때 누가 얼마나 빠르게 잘 회복해서 공부에 다시 매진할 수 있는지가 성적에 큰 영향을 미치기에, 위의 원인과 해결책을 잘 기억하고 활용하길 바랍니다.

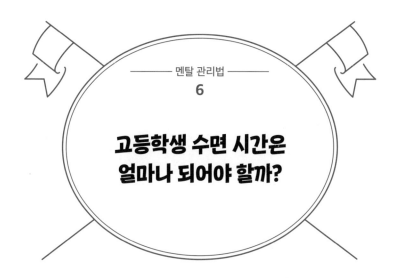

고등학생 수면 시간은
얼마나 되어야 할까?

시간이 한정된 고등학생에게 있어 수면 시간은 잘 관리해야 할 부분입니다. 저는 취침은 새벽 1-2시에 했고, 기상은 아침 7시 30분 정도에 했었습니다. 늘 최소 5-6시간은 꾸준히 숙면을 하기 위해 노력했습니다. 학생 중에는 공부를 더 많이 하려는 욕심에 날을 새어 공부하는 학생도 있는데, 이렇게 자지 않고 공부하면, 결국 그다음 날에 피로가 쌓이고 그로 인해 학교 수업에 대한 집중도가 낮아집니다. 또 그다음 날 해야 할 공부를 하지 못하게 되니 얻는 것보다 잃는 것이 훨씬 많은 전략입니다.

가장 좋은 것은 규칙적인 기상 및 취침 시간을 설정해 지키는 것

입니다. 그리고 평일에는 아침 7시에서 7시 30분에 일어나다가, 주
말에는 아침 10-11시에 일어나는 불규칙한 생활을 하면 수면 패턴
이 흔들릴 수 있으니, 주말이라도 항상 자던 시간에 자고, 기상 시
간은 평소보다 1-2시간 정도만 늦추어 평일에 쌓인 피로를 푸는 시
간을 가지면 좋습니다.

멘탈 관리법
7

공부할 때
음악을 들어도 괜찮을까?

학생들 중 수학 문제를 풀 때 노래를 듣는 경우가 상당히 많습니다. 지금 이 글을 읽고 있는 학생 중에서도 분명 수학 문제를 풀 때 노래를 듣는 학생들이 있을 것입니다. 저도 예전에는 그렇게 했었지만, 한 가지 사실을 깨달은 이후로는 절대로 수학 문제를 풀 때 노래를 듣지 않게 되었습니다. 수학 문제를 풀 때 노래를 듣는 학생들 이야기를 들어보면, 대부분 "오히려 집중이 잘 돼요.", "수학 문제를 푸는 게 재미없는데 노래를 들으면 그나마 괜찮아요."라는 말들을 많이 합니다. 물론 백색소음의 효과가 있을지도 모릅니다.

하지만 한 가지 반드시 기억해야 할 사실이 있습니다. 바로 실제 시험을 볼 때는 노래를 듣지 못한다는 사실입니다. 제가 늘 강조하는 것은 연습할 때도 실전처럼 임하는 것입니다. 노래를 들으면서 공부를 하면 더 잘 될지도 모릅니다. 하지만 노래를 들으면서 수학 문제를 푸는 게 습관이 되어 버리면, 실제 시험을 볼 때는 오히려 어려움을 겪을 수도 있습니다. 평소에는 노래를 듣다가 갑자기 시험 당일에 노래 없이 문제를 풀어야 한다면, 당연히 평소와는 다른 환경에서 시험을 보는 것으로, 공부한 것보다 좋지 못한 성적을 받을 가능성이 커집니다.

물론 너무 졸리거나 공부에 집중이 안 될 때 잠시 음악을 활용하는 것이 나쁘지 않다고 생각합니다. 하지만 계속 음악을 들으며 공부하는 것은 분명히 방해될 가능성이 높습니다. 무엇보다 인간은 동시에 두 가지 이상의 일을 하는 '멀티태스킹'에 약하다고 하니, 노래를 들으면서 문제를 푸는 두 가지 일을 동시에 하는 것은 긍정적인 효과를 기대할 수 없을 것입니다.

연습을 늘 실전처럼 하려는 마음가짐이 있어야 앞으로 겪게 될 최종 시험인 '수능'까지 잘 완주할 수 있습니다. 그러니 앞으로는 공부할 때 노래를 듣기보다는 실제 시험을 본다는 마음가짐으로 문제 풀이에 집중해 보는 게 어떨까요?

자는 시간을 줄여서 공부하는 것도 괜찮을까?

흔히 사람들은 '잠자는 시간을 줄여서라도 공부해야 한다.'라는 말을 합니다. 또 '사당오락四當五落' 즉 4시간 자면서 공부하면 합격하고, 5시간 자면서 공부하면 탈락한다는 말이 있을 정도로, 잠을 줄여서라도 공부하는 열정이 중요시되곤 했습니다. 그러나 저는 절대 중고등학교 시절에 공부 때문에 잠을 줄이거나 날을 새지 않았습니다. 저는 '잠 총량 보존 법칙'을 믿었기 때문입니다.

공부를 조금이라도 더 하기 위해, 다른 친구들보다 앞서 나가기 위해, 잠을 줄이면서까지 공부를 하려는 열정은 훌륭합니다. 하지만 오늘 욕심을 내어 잠을 늦게 자면, 분명히 다음 날에는 피곤할 수밖에 없습니다. 그러면 오히려 공부의 효율이 떨어져 평소만큼 집중할 수 없게 됩니다. 공부에 있어서 중요한 요소 중 하나는 '꾸준함'입니다. 공부의 양을 1부터 10으로 나눴을 때, 어떤 날은 10, 어떤 날은 1, 어떤 날은 5, 이런 식으로 불규칙적으로 진행하는 학생은 실제 시험 당일에도 규칙적인 컨디션이 보장되지 않기 때문에 좋지 않은 상태로 시험을 볼 가능성이 있습니다. 하지만 매일 공부의 양이 10이 아니더라도 꾸준히 7-8로 유지하는 학생들은, 실제 시험 당일에도 꾸준히 7-8로 유지하므로 평소 상태에서 시험을 볼 수 있습니다. 이렇듯 공부에서 꾸준함은 정말 중요한데, 잠자는 시간을 일정하게 유지하지 않고 자주 바꾸면, 패턴이 불규칙해지고 꾸준함을 유지하기 어렵게 됩니다. 그리고 '잠 총량 보존 법칙'에 따라 오늘 하룻밤을 새워 공부하거나, 평소보다 늦게 자면 분명 언젠가는 그만큼 더 잠을 보충해 줘야 하고, 결국 그날은 잠을 더 자야 해서 공부는 적게 하게 되므로 불규칙한 패턴이 되는 것입니다.

비슷한 맥락에서 '벼락치기'를 통한 공부 방법 역시 추천하지 않습니다. 벼락치기를 하는 학생들은 흔히 두 가지 이유로 만족합니다. 첫째는 '어제 하루만 공부했는데도, 이 정도 성적이면 괜찮은데? 다음에 일찍부터 공부하면 훨씬 성적이 좋겠다.'라고 생각하며 벼락치기를 한 자신을 자랑스러워하기도 합니다. 둘째는 '나보다 더 좋은 점수를 받는 친구들은 3-4주 동안 힘들게 공부했을 텐데, 난 하루만 공부하고 점수가 비슷하니 오히려 편하게 공부했네.'라고 생각하면서 오히려 공부를 효율적으로 했다는 생각을 가지기도 합니다. 하지만 벼락치기를 통한 공부는 가장 비효율적인 공부 중 하나입니다. 일단 벼락치기를 하면 짧은 시간에 많은 내용을 암기하기 때문에 빠뜨리는 부분도 많고, 이해를 바탕으로 한 공부가 아닌 단순 암기여서 머릿속에 지식이 오래 남지도 않습니다. 또 역시 '잠 총량 보존 법칙'에 따라서 벼락치기를 위해 수면 시간을 줄이면서 공부했다면, 결국 잠이 부족한 상태에서 시험을 보는 것으로 집중력 자체에 문제가 생겨서 효율도 떨어지게 됩니다.

그리고 벼락치기는 우리를 공부와 더욱 멀어지게 만듭니다. 짧은 시간 동안 암기해서 시험을 볼 때 나쁘지 않은 점수가 나오는 경험이 반복되다 보면, 굳이 3-4주씩 시간을 투자하면서 공부하거나 '이해'를 통한 과정을 겪고 싶어 하지 않고, 정상적인 공부보다 더욱 벼락치기에만 의존하게 되는 경우가 많아집니다. 그러니 앞으로는 벼락치기보다는 '공부의 꾸준함'을 늘 생각하면서, 충분한 시간을 투자해 공부하는 게 좋습니다.

멘탈 관리법

9

자꾸 환경을 탓하게 될 때 해결책은?

사실 공부는 주변 환경의 영향을 많이 받기도 합니다. 때로는 자신의 환경과 처지를 자꾸만 다른 친구와 비교하며 공부에 집중을 못 할 때도 있습니다. 저 역시 전라남도의 일반고에 다니면서 지역에 대한 불만이 있었습니다. 특히 수험생 커뮤니티를 보면서 인강으로만 들을 수 있는 대형 학원가 선생님들에게 실시간으로 수업을 받고 또 수업 자료를 받는 학생들에 대한 부러움이 매우 컸습니다. 그리고 일반고에서 생활기록부를 채우기 위한 다양한 활동을 하면서, 특목고와 자사고 학생들의 좀 더 심화한 일반고에서는 볼 수 없는 프로젝트로 생활기록부를 채워 나간다는 소식을 들으면서 현재의 제 환경에 불만을 터트리곤 했습니다. 그래도 저는 '지방' 그리고 '일반고'라는 조건 속에서도 당당히 현역 수시로 '중앙대 의대'에 합격할 수 있었습니다. 그리고 그 후 2년이 넘도록 학생들과 다양한 상담 및 과외 활동을 진행하면서 깨닫게 된 것은 주변 환경을 탓하기보다는, 그 환경을 받아들이고 공부에 매진하는 자세가 더 중요하다는 것이었습니다.

학생들은 대표적으로 다음의 환경 차이에 대해 불안감을 잘 느꼈습니다. 그러나 어느 하나의 환경이 유리한 것이 아니라 환경마다 모두 장단점을 가지고 있습니다. 어느 환경에 속하더라도 절대적으로 불리한 것이 아님을 알고, 현재 상황을 좀 더 긍정적인 시선으로 바라보는 계기가 되었으면 좋겠습니다.

지방 vs 수도권 〰〰

지방에 거주하는 학생들은 학습에 대한 정보도 부족하고, 수도권 학생보다 불리한 조건에 있다고 생각합니다. 하지만 지방에 거주하더라도 요즘에는 인터넷이나 유튜브를 찾아보면 입시든, 공부법이든 학습에 대한 정보는 많이 나와 있고, 수험생 커뮤니티도 많이 활성화되어 있는 만큼 학습 정보는 수도권과 큰 차이가 없습니다. 관심만 가지면 충분히 정보를 얻을 수 있습니다.

그리고 많은 지방 학생이 수능 준비할 때 현장 강의를 듣지 못해 불리한 조건에 있다고 생각하는데 그건 꼭 그렇지 않습니다. '메가스터디', '대성마이맥' 등을 통해 '인터넷 강의'가 충분히 활성화되어 있기 때문입니다. 인터넷 강의라고 해서 현장 강의와 강의 내용 자체가 다른 것은 아닙니다. 물론 현장 강의에는 강제성도 있고, 자료도 더 많이 받을 수는 있겠지만, 확실한 것은 인터넷 강의만 제대로 활용해도 모든 과목에서 수능 1등급을 받을 수 있게끔 준비되어 있다는 점입니다. 그러니 지방이라고 학습 정보가 부족하거나 공부 방법이 부족하다는 생각을 가질 필요는 없습니다.

반면 수도권에 거주하는 학생들은 지방 학생들이 비교적 내신 시험이 쉽게 출제되어 내신 점수를 따기 쉽다고 생각하고 부러워하거나 불만을 가지기도 합니다. 하지만 내신 시험이 쉽게 출제된다고 해서 내신 점수를 따기 쉬운 건 아닙니다. 내신 시험이 쉬우면 오히려 그만큼 변별력이 줄어 한두 개의 실수로 등급 자체가 크게 떨어질 수 있으니 장점이라고만 하기는 힘듭니다. 그러나 내신 시험이 어려우면 공부를 열심히 한 만큼, 더욱 좋은 성적을 얻을 수 있고, 한두 개의 실수가 큰 영향을 주지 않아 오히려 안정적인 내신 성적을 유지할 수 있습니다. 그러니 수도권 학생들도, 지방 학생들도 서로를 부러워할 필요 없이 현재의 환경에 만족하며 그것에 맞게 열심히 공부하면 됩니다.

일반고 vs 특목고(과학고, 영재고, 자사고 등) 〰〰

일반고 학생들은 특목고 학생들이 훨씬 더 깊이 있는 활동들을 할 수 있어 생활기록부 역시 훨씬 더 다양한 활동으로 채울 수 있다는 점에서 부러움을 느끼기도 합니다. 하지만 반대로 특목고 학생들은 생활기록부 측면에서는 유리할 수 있지만, 워낙 공부를 잘하는 학생들이 모여 있고, 그만큼 내신 시험 난이도도 높기 때문에 좋은 내신 등급을 받기가 어렵습니다. 그래서 오히려 일반고 학생들이 내신 성적을 더 잘 받는 것에 부러움을 가지기도 합니다.

우리가 흔히 대학 입시 전형 중 '학생부 종합전형'이라고 하는 것은 내신과 생활기록부, 이렇게 두 가지 요소가 반영되는 것으로, 일반고는 '내신'에, 특목고는 '생활기록부'에 장점이 있는 학교입니다. 그러니 일반고와 특목고 중 한 곳이 더 크게 유리하거나 불리한 것 없이 둘 다 장단점이 있는 상황이므로, 현재 자신의 상황을 받아들이고, 장점을 최대한 극대화하면 좋겠습니다.

10

정시 준비자에게
해주고 싶은 조언은?

　고등학교 학생 중에서 내신은 챙기지 않고, 오직 '수능 공부'에만 집중하는 학생들도 있습니다. 이 학생들과 N수생들은 둘 다 '수능'을 준비한다는 공통점이 있지만, 가장 큰 차이점이 존재합니다. 바로 고등학교 1-3학년 학생들은 대부분 '내신 시험 위주의 학교'에 다니면서 수능 준비를 한다는 점입니다. 학교 일정이나 수업 자체가 내신 시험에 맞춰져 있다 보니, 정시를 준비하는 고등학교 학생들이 수능 준비를 하는 과정이 쉽지 않습니다. 이 과정을 잘 이겨내도록 고등학생 수능 준비자들에게 몇 가지 조언을 전합니다.

내신 시험이 끝난 후 반 분위기에 휩쓸리지 않기 〜〜〜

고1~3학년 정시 준비 학생들은 수시 중심 학교에서 공부하는 게 쉽지 않습니다. 특히 학교에서 내신 시험이 끝난 주에는 반 분위기가 흐트러지고, '하루쯤은 같이 놀아도 되지 않을까?' 하는 생각을 하게 됩니다. 하지만 자신이 정말 정시로 대학 입시를 하겠다고 마음먹었다면, 내신 시험이 끝난 친구들이 쉴 때 같이 쉬면 안 되겠지요? 자신만의 수능 공부 페이스에 맞게 묵묵히 진행해 나가야 합니다. '하루 노는 게 뭐 어때서'라고 생각할지 몰라도, 하루만 안 해도, 계속 안 하고 싶어지는 것이 공부입니다. 특히 수능은 아직 먼 미래인 것처럼 느껴져 마음이 느슨해지기 쉬우니, 더욱 냉정하게 자신을 관리해야 합니다.

친구들의 수능 조언에 현혹되지 않기 〜〜〜

정시 공부를 한다고 하면 물론 응원해 주는 친구들도 많지만, 간혹 조언 또는 훈수를 두는 친구들도 있습니다. 특히 "요즘 의대 정시는 힘들다던데?" 또는 "너 OOO 선생님 인강 들어? 그 쌤 별로래." 등과 같은 말들을 하기도 합니다. 그런데 친구들과 여러분은 나이도 비슷하고 경험도, 지식도 비슷한 수준입니다. 그러니 친구들의 말 하나하나에 휘둘리고 상처받고 고민할 필요가 없습니다. 그냥 듣고 흘리는 것이 좋습니다. 차라리 수험생 커뮤니티나 인스타를 통해 이미 대학에 간 선배들에게 조언을 얻는 것이 더 도움이 될 것입니다.

학교 선생님들의 시선에 당당해지기 ～～～

정시 공부를 한다고 하면, 가끔은 일부 선생님들이 부정적이고 비관적인 시선으로 바라보기도 합니다. 그만큼 일반고에서는 수시로 대학을 잘 가는 경우가 많기 때문입니다. 그런데 선생님들의 걱정 어린 우려의 말들을 하나하나 마음속에 다 쌓아두게 되면, 결국에는 '정시가 잘못된 길인가?'라는 의문이 들면서 마음이 흔들려 정시도, 수시도 실패하게 될 수 있습니다.

그러니 앞으로 선생님들이 정시에 대해 걱정하거나 부정적인 말씀을 하시더라도 감정적으로 흔들리지 말고, '내가 더 수능 공부를 열심히 하도록 동기를 유발하시는구나. 수능 성적으로 당당히 증명하자!'라는 다짐과 의지로 바꾸길 바랍니다.

수시 중심인 학교에서 정시 공부를 하기는 쉽지 않습니다. 하지만 어떠한 이유든, 결국 자신이 선택한 길이기 때문에 결과로 증명해야 합니다. 그러려면 감정적인 기복을 최소화하고 꾸준히 자신만의 페이스를 유지하면서 수능 때까지 달려 나가야 합니다. 스스로 중심을 잃고 친구들의, 선생님들의 말에 감정적으로 동요되고, 반 분위기에 휩쓸리게 된다면 결국 실패할 확률이 높아집니다. 그러니 냉정하게, 단호하게 자신만의 길을 묵묵히 걸어 나가세요. 그러면 분명 좋은 결과가 있을 거라는 믿음으로 수능 공부에 임하길 바랍니다.

시험 당일, 도움이 되는 마음가짐은?

내신이든, 수능이든 시험을 보는 당일은 정말 긴장이 됩니다. 저역시 늘 시험을 앞두고 공부를 더욱 열심히 했고, 이미 다 준비가 되었다고 느껴도, 시험 당일만 되면 혹시나 모르는 문제가 나올까 봐 걱정되고 떨렸던 기억이 있습니다. 시험 보기 전에는 긴장감에 손에 땀이 많이 나서 늘 책상 위에 휴지를 올려 두었고, 시험이 끝나는 시간이 얼마 안 남았을 때 급하게 수학 서술형 문제의 답을 쓰다가 손이 떨려서 다른 손으로 떨리는 팔을 잡아야 할 때도 있었습니다. 그래서 이러한 긴장감을 더 잘 이겨내고 실제 시험 때 제 실력이 충분히 발휘될 수 있도록 어떤 마음가짐을 가져야 할지에 대한 많은 생각을 하면서 저만의 마음가짐을 정리해 보았습니다. 다음은 제가 시험 당일에 했던 마음가짐입니다. 여러분도 참고해서 시험 당일에 자신의 실력을 마음껏 발휘할 수 있었으면 합니다.

첫째, 문제를 다 풀면 일단 답안지 마킹을 시작합니다. 처음부터 끝까지 시험 문제를 다 풀면, 중간에 못 풀고 넘긴 문제가 있더라도 일단 마킹을 먼저 하는 것이 좋습니다. 마킹은 결국 시험 시간 내에 무조건 해야 하는 것이기 때문에 가장 우선시해야 하는 작업입니다. 마킹을 안 한 상태에서 중간에 못 풀었던 문제에 몰두하다 보면, 이따가 마킹을 해야 한다는 생각에 마음이 조급해지기 쉽습니다. 그러다 보면 나중에 급하게 마킹을 하게 되고, 실수도 할 수 있습니다. 그러니 중간에 못 푼 문제가 있더라도 일단 마킹부터 마무리하는 것을 추천합니다.

둘째, 안 풀리는 문제는 과감히 넘어갑니다. 여러분이 한 문제를 두세 번씩 풀어봤는데도 안 풀리면 과감히 넘겨야 합니다. 일단 풀 수 있는 문제들 위주로 풀면서 최대한 점수를 확보하고, 그다음 다시 돌아와서 남은 시간에 못 푼 문제들에 집중하도록 합니다. 무작정 어려운 한 문제만 오랜 시간 잡고 있다 보면, 그만큼 다른 문제들을 풀 수 있는 시간이 줄어들어 오히려 아는 문제도 틀리는 일이 생길 수 있습니다.

셋째, 지나간 시험에 연연하지 않습니다. N교시가 끝나면 N+1교시만 생각해야 합니다. 시험이 끝난 쉬는 시간에 친구들과 답을 비교해 보는 일은 피합니다. 아무런 의미도 없으며, 틀리면 기분만 나쁘고 잘 본 것 같으면 기분이 들뜨기만 합니다. 무엇보다 시험이 끝나는 순간, 아무리 후회를 해도 결과는 바뀌지 않습니다. 그저 묵묵하게 다음 시험에만 온정신을 집중하는 게 현명합니다. 절대 지나간 시험에 연연하지 말고, 남은 시험에 최선을 다하도록 합니다.

넷째, 안 하던 행동은 하지 않습니다. 시험 당일에는 평소보다 더 시험을 잘 보고 싶다는 생각에 평소에 안 하던 행동을 하기도 합니다. 예를 들면, 평소에는 문제를 푼 뒤에 검토하지 않다가 갑자기 시험 당일에는 검토를 하거나, 평소에는 국어 시험을 볼 때 문제를 순서대로 풀다가 갑자기 시험 당일에는 '문학' 부분부터 푸는 식으로 안 하던 행동을 하기도 합니다. 그러나 이렇게 시험 당일에 새로운 행동을 하는 것은 절대 도움이 되지 않습니다. 평소에 안 하던 행동을 하면 부자연스러운 행동 자체가 시간을 더 끌게 만들기도 하고, 오히려 실수를 유발하고 전반적인 시험 운영을 흐트러지게 할 수도 있기 때문입니다. 그러니 만약 시험 당일에 하고 싶은 행동이 있다면, 최소한 시험 2-3주 전부터 미리 연습하면서 스스로 익숙해진 후 시도하는 것을 추천합니다.

의대생들의 스마트한 멘탈 관리법

박종명(중앙대 의대 21학번)

문제가 막힐 때마다 '내가 아니면 누가 풀어?'라고 생각하며 자신 있게 풀었습니다. 내가 모르는 것은 없고, 내가 가진 지식을 활용하면 못 풀 문제는 없다는 확신이 공부 그리고 수능 현장에서도 큰 도움이 되었습니다.

이홍석(중앙대 의대 21학번)

수험생에게 멘탈은 가장 중요하기 마련입니다. 저는 평상시에는 긍정적인 태도를 유지하기 위해 노력하다가 시험이 시작되면 최대한 냉정하고 이성적으로 생각하려고 노력했습니다. 긍정적인 방향으로 사고하는 것은 마음을 다스리는 데 도움이 됩니다. 하지만 수학 문제를 실수로 틀리고는 '실전에서는 이런 실수는 안 할 거니까 이 문제는 맞은 거야.'라는 식의 사고는 절대 하지 않도록 주의했습니다. 긍정적인 마음가짐은 많은 도움이 되지만, 자칫 잘못하면 오만이 될 수 있기 때문입니다.

백승현(중앙대 의대 21학번)

원래 성격이 아주 긍정적이고 낙천적인 스타일이라 스트레스를 잘 받지 않는 성격이었지만, 무엇보다 재수하며 사귄 친구들이 큰 도움이 되었던 것 같습니다. 물론 사교에 시간을 쏟기보다는 가끔 힘들 때마다 속 이야기를 털어 놓고 옥상이나 공원을 같이 산책하며 기분 전환을 했습니다. 공부에 지치고 힘들 때 곁에 친구가 있다면 상당한 도움이 됩니다.

김은수(중앙대 의대 22학번)

어릴 때부터 영화 관람을 좋아했기 때문에 정신적으로 힘든 날에는 공부하지 않고 영화를 보면서 쉬다가 일찍 자는 것이 여러모로 도움이 됐습니다. 고3 때는 5월과 8월에 마음이 크게 흔들린 적이 있었습니다. 5월은 부모님과의 다툼 때문이었는데 대화로 극복했고, 8월에는 일주일 정도 슬럼프를 겪어서 국어 독서 지문만 하루에 8시간씩 4일을 보면서 잡념을 제거하는 방식으로 극복했습니다. 힘든 시기가 있었지만 그래도 멘탈 관리를 잘할 수 있었던 것은 고등학교를 수능 성적 1등으로 졸업하겠다는 열망이 컸기 때문인 것 같습니다.

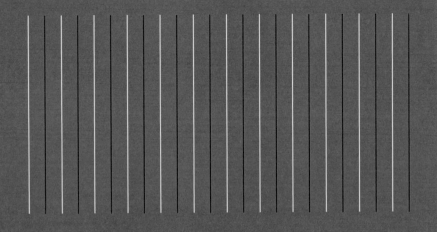

5장

의대 합격을 위한
슬기로운 고등학교 생활

학교생활 노하우
1

선생님들과 좋은 관계를 유지하는 비법은?

만약 수시 전형으로 대학에 진학할 생각이라면, 학교생활은 정말 중요합니다. 학교 선생님이 시험 문제를 내고, 생활기록부를 기록하기 때문에 선생님에게 좋은 인상을 주고, 좋은 관계를 맺는 것이 정말 중요합니다. 물론 기본적으로 공부를 뛰어나게 잘한다면 처음부터 선생님이 관심을 가질 수도 있겠지만, 꼭 공부를 잘하지 않더라도 학교 선생님들에게 좋은 인상을 줄 수 있습니다. 지금부터 선생님들에게 좋은 인상을 줄 수 있는 저만의 노하우를 소개합니다.

첫째는 선생님들에게 인사를 잘하는 학생이 되는 것입니다. 평소 알고 있던 선생님뿐만 아니라 잘 알지 못하는 선생님이더라도, 복도에서 뵙게 되면 무조건 인사를 공손하게 하는 것이 좋습니다. 실제로 고등학교에서 선생님들에게 인사를 하지 않거나, 인사를 하더라도 하는 듯 안 하는 듯 대충 넘어가는 학생들도 많습니다. 하지만 공손하게 '안녕하세요'라는 말과 함께 인사를 하면 그 어떤 선생님도 싫어하지 않습니다. 이렇게 평소에 선생님들에게 성실히 인사를 한다면 자연스레 선생님들도 여러분의 얼굴을 기억하게 되며, 긍정적인 인상을 남길 수 있습니다. 또 다른 친구들과 같이 있다고 해서 인사하는 것을 망설이지 마세요. 선생님을 비롯한 어른에게 인사하는 것은 당연한 예의이기에 무조건 인사하는 것이 맞습니다. 특히 이미 마주친 선생님이더라도 마주칠 때마다 공손히 인사하는 것을 추천합니다.

둘째는 질문하는 학생이 되는 것입니다. 선생님들에게 자신을 알릴 수 있는 가장 좋은 방법 중 하나는 질문을 하는 것입니다. 대부분 학생은 수업 시간에 수업을 들은 후에 따로 선생님에게 찾아가서 질문하려고 하지 않습니다. 궁금한 내용들은 인터넷이나 참고서를 찾아봐도 해결할 수 있기 때문입니다. 하지만 공부하다가 질문이 생기면 그 질문들을 두세 개 정도 모아서 쉬는 시간 또는 점심시간에 선생님께 찾아가 질문하는 걸 추천합니다. 질문을 한다는 것은 그만큼 선생님의 수업을 열심히 듣고 있다는 의미이고, 선생님과 얼굴을 보고 대화를 나눌 좋은 기회가 될 수 있습니다. 그러니 수업을 들은 후 질문하고 싶은 것들은 따로 필기해서 선생님에게 물어보며 자신의 공부 열정을 보여 주기 바랍니다.

 셋째는 수업 시간에 반응하는 학생이 되는 것입니다. 고등학교 공부는 선행하는 학생들이 많기 때문에 수업 시간에 선생님의 수업에 집중하지 않고 본인의 공부를 하거나, 수업을 듣더라도 반응하지 않고 그저 필기만 하면서 듣는 학생들이 많습니다. 이러한 학생들 사이에서 좋은 인상을 남기려면, 수업 시간에 선생님의 말씀에 적극적으로 '반응'하고 '표현'하는 것이 정말 중요합니다. 반응하고 표현하는 것은 수업에 집중하고 있음을 보여 주기도 합니다. 선생님이 어떤 내용을 설명하고 나서 학생들을 쳐다보는 것은 학생들이 설명한 내용을 잘 이해했는지 알고 싶어서입니다. 그럴 때 고개를 두세 번 정도 끄덕이면서 수업을 잘 따라오고 있다는 신호를 보내면 됩니다. 선생님이 수업 중간에 농담을 하시면, 그에 맞추어 입가에 미소를 짓고 자연스럽게 함께 웃으면 좋습니다. 그리고 선생님이 수업 중간에 학생들에게 질문하면, 아는 것은 주저하지 말고 답을 합니다. 이렇게 수업 시간에 적극적으로 참여하면, 선생님은 계속해서 여러분의 반응을 살피고, 수업에 열심히 참여하는 성실한 학생으로 기억하게 될 것입니다.

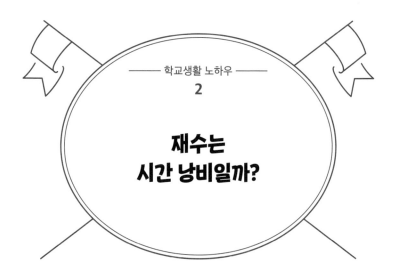

재수는
시간 낭비일까?

누군가는 재수를 '시간 낭비'라고 부릅니다. 소중한 20대 초반의 시간을 허비한다고 표현하면서 일단 성적에 맞추어 대학에 가는 게 좋다고 합니다. 하지만 재수하는 것은 결코 시간 낭비가 아니며, 미래를 위한 하나의 소중한 투자라고 생각합니다. 재수를 통해 자신이 원하는 학교에 갈 수 있고, 그게 희망 진로에 도움이 되는 길이라면 재수하는 것은 결코 시간 낭비라고 할 수 없습니다. 무엇보다 긴 인생을 놓고 봤을 때 재수를 하는 1년이라는 시간은 어쩌면 무척 짧은 시간일 수 있습니다. 그 1년 동안 우리의 인생이 바뀔 수 있다면 충분히 투자해 볼 만한 기회입니다. 하지만 시작부터 재수를 생각하는 것은 몹시 위험합니다.

　고2에서 고3으로 넘어가는 겨울방학 때쯤 많은 학생이 자신의 내신 성적으로는 목표하는 대학에 갈 수 없을 거라는 생각을 하기 시작합니다. 그리고 고3 때부터 수시든, 정시든 그냥 고3 때 입시가 잘 안 풀리면 '재수'를 하면 된다고 생각합니다. 그러나 고3 때부터 재수를 생각하면, 자기도 모르게 자신에게 남은 수능 공부 기간이 1년이 아닌 2년이라고 생각하기 시작합니다. 그러면 올해 대학에 꼭 가야 한다는 간절함은 약해집니다. 간절함이 사라지면 공부하고자 하는 의지도 줄어듭니다. 본인에게 남은 시간이 '2년'이라고 생각하면, 굳이 지금부터 열심히 할 필요가 없다는 생각이 들기 시작합니다.

　재수를 하는 것은 절대로 시간 낭비가 아니라고 생각합니다. 하지만 수능 공부에 집중해야 하는 고3 시기부터 재수를 생각하게 되면, 공부에 대한 의지가 줄어들고 고3 시기에 해야 할 수능 공부를 하지 않게 되어, 고3 입시에 실패할 가능성이 커질뿐더러, 재수를 한다고 해도 고3 1년간 공부를 열심히 하지 않았기 때문에 좋은 결과를 기대할 수 없습니다.

　그러니 고3 때부터 섣불리 '나중에 재수하면 되지.'라는 생각을 하지 말아야 합니다. 그 대신에 거꾸로 생각해 보길 바랍니다. '올해 성적이 안 나오니 내년에 재수해야겠다.'라는 체념의 말보다는, '내년에 재수하지 않도록 올해 최대한 성적을 올려야겠다.'라는 긍정의 말로 바꿔 보는 게 어떨까요? 올해 안에 내신이든, 수능이든 열심히 공부해서 끝내야겠다는 마음가짐이 있어야 고3 1년을 효율적으로 보낼 수 있습니다.

그렇게 하다 보면, 정말 재수가 아니라, 고3 입시에서도 좋은 결과를 얻을 수 있고, 재수를 하더라도 고3 1년 동안 열심히 공부한 상태이니 재수 성공률도 자연스레 높아지게 됩니다. 혹시나 자신이, 아니면 주변에 벌써 재수를 고민하는 학생이 있다면, 지금 재수를 생각하기보다는 올해 안에 끝낸다는 생각으로 공부에 임해야 한다는 사실을 꼭 기억하면 좋겠습니다.

친구 관계가 고민일 때 해결 방법은?

　학교생활을 하다 보면, 정말 다양한 부류의 친구들을 만나게 됩니다. 그중에는 정말 성격도, 마음도 잘 맞는 친구를 만나기도 하지만, 분명한 것은 자신과 잘 맞지 않는 친구도 존재한다는 사실입니다. 누군가의 험담을 하고 다니고, 인성이 좋지 않은 친구들을 만날 수도 있습니다. 특히 학급에서 진행하는 모둠 활동을 할 때 몇몇 친구들 때문에 고생하는 경우도 흔한 일입니다. 어떤 학생들은 그럴 때마다 그 친구 때문에 고민에 빠지고, 신경이 쓰이고, 스트레스가 쌓여서 공부에 방해가 되기도 합니다. 하지만 공부를 꾸준히 해나가는 데 있어서 가장 중요한 것은 '감정적인 사람'이 되지 않는 것입니다. 자신이 해결하기 힘든 일인 다른 친구의 성향에 대한 고민으로 감정적으로 흔들리고 공부에 집중을 못 하는 것은 그야말로 시간 낭비입니다. 그러니 앞으로는 친구에 대한 고민에 휩싸일 때마다 이렇게 생각해 봅니다.

"저 친구는 겉으로는 나와 맞지 않고 나에게 상처를 주더라도 분명 본성은 착할 거야. 그러니 나도 저 친구에 대해 너무 부정적으로 생각하기보다는 먼저 이해해 보려고 노력하는 게 좋겠어."

저 역시 자꾸만 저를 놀리고, 질투하고, 모둠 활동에도 열심히 참여하지 않는 친구가 있었지만, 이런 식으로 생각하고 대하니까 마음도 편하고 굳이 대응할 필요가 없어져 오히려 잘 지낼 수 있게 되었습니다. 그러니 마음에 차지 않는 친구가 있다면 감정적으로 반응하고 대응하기보다는 이해하려고 노력해 보는 편이 훨씬 좋습니다.

예전에 모의고사를 풀다가 기억에 남는 표현이 있었는데, 바로 'Everyone is no one.'이라는 표현입니다. 즉 모두를 만족하는, 모두에게 사랑받는 사람이 되려고 노력하면 오히려 아무도 주변에 남지 않을 수 있다는 뜻입니다. 이 말대로 우리 주변에 있는 모든 사람을 만족시키는 일은 불가능합니다. 예를 들어, A라는 학생이 평소에 웃음이 많아 늘 웃고 다닌다고 가정해 봅니다. 어떤 친구들은 A라는 학생이 늘 웃고 다녀서 긍정적인 에너지 때문에 좋아하고 함께 어울립니다. 하지만 분명히 일부 친구들은 늘 웃고 다닌다는 이유로 생각이 없다, 눈치가 없다고 험담을 할 수도 있습니다. 그 말을 들은 A가 이제 더는 웃지 않는다면 어찌 될까요? 그러면 원래 A를 좋아하던 친구들도 더는 A의 긍정적인 모습을 느끼지 못해 변했다고 생각하고 멀어질 것입니다. 반면 원래 A를 싫어하던 친구들은 아무런 신경도 쓰지 않을 것입니다. 즉 자기 모습을 모두가 좋아해 줄 수는 없음을 인정하고 자신과 잘 맞는 사람과 돈독히 지내고 맞지 않는 사람은 적당히 선을 지키며 서로 이해하고 지내는 게 필요하다는 말입니다.

학교생활도 결국 사회생활 중 하나이고, 그 과정에서 일부 사람들이 자신을 싫어한다는 이유로 스트레스를 받거나 힘들어하지 않았으면 좋겠습니다. 모든 사람을 만족시키는 일은 불가능하니까요. 대신 나를 좋아하고 나와 마음이 잘 맞는 친구들을 더 잘 챙기고, 힘들 때마다 서로를 응원하고 위로하며 앞으로 나아가면 됩니다. 모든 사람을 만족시키려다가 자칫하면 원래의 '나'를 잃을 수도 있습니다. 원래의 나를 잃지 않도록 중심을 잡으며, 나를 싫어하는 친구에게 너무 감정을 소비하지 않도록 노력합니다.

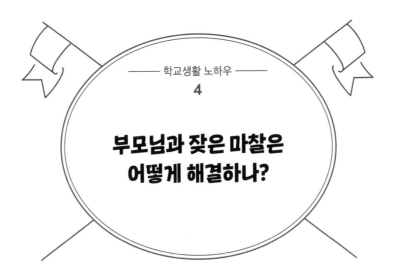

학교생활 노하우
4

부모님과 잦은 마찰은 어떻게 해결하나?

고등학교 시기는 정말 많은 것을 잘 처리해야 하는 예민하고 중요한 기간입니다. 1년에 4번 보는 내신 시험은 대학 입시와 직결되며, 그 외의 학교생활들도 모두 생활기록부에 기록되고, 이 또한 대학 입시와 연결됩니다. 학교에서는 다양한 수업 스타일을 가진 선생님들의 수업을 들으면서 적응해야 하고, 다양한 부류의 친구들을 만나면서 인간관계도 관리해야 합니다. 그리고 꾸준히 보는 모의고사와 최종 시험인 수능도 늘 고등학생들을 힘들게 만듭니다. 학교생활 외에도 학원에 가고, 과외를 하고, 인강도 들어야 하며, 주말에는 평일에 하지 못했던 공부를 정리하고, 각종 수행평가 및 동아리 활동 준비로 바쁘게 지냅니다. 공부 외에도 신경 써야 할 일이 너무나 많은 시기라서 고등학교 3년은 누구나 인생에서 예민한 시기 중 하나일 것입니다. 그러다 보니 이 시기에 부모님과 크고 작은 다툼이 자주 발생합니다. 저 역시 평일에는 기숙사 생활을 했고, 주말에만 부모님과 함께 생활했는데도 늘 사소한 다툼이 있곤 했습니다.

제가 대학에 간 후 공부 관련 인스타그램을 운영하면서 다양한 학생들과 이야기를 나누다 보니, 결국 고등학생들이 부모님과 다투는 근본적인 원인은 '부모님이 자신의 힘든 학교생활을 진심으로 이해하지 못한다고 느꼈기 때문'이었습니다.

구체적인 예를 들어보면, 자신은 평일에 매일 이른 시간에 학교에 가니 너무 지쳐서 주말에는 무표정하게 있기 쉬운데, 부모님은 이러한 자신의 표정을 보시고는 "요즘 힘든 일 있니?", "학교에 괴롭히는 친구가 있는 거니?" 등의 질문들을 합니다. 그저 조금 피곤해서 그런 것뿐인데, 너무 과하게 반응하는 부모님을 이해하기 힘들다고 하는 학생도 있었습니다. 또는 자신은 나름대로 최선을 다해서 공부하고 있고, 전보다 성적도 어느 정도 올라서 잘하고 있다고 생각하는데, 부모님은 자꾸만 다른 친구들과 성적을 비교하면서 "왜 요즘 공부를 열심히 하지 않니?" 같은 말씀을 하면 속상하다는 학생도 있었습니다. 또 자신은 평일에 해야 할 공부들이 너무 많아서 주말에는 잠깐 쉬어야겠다는 생각에 영화를 보고 오려고 했는데, 부모님이 이런 모습을 보고 "공부는 안 할 거니?", "다른 친구들은 주말에도 다들 공부를 열심히 한다던데, 넌 영화나 볼 여유가 있니?" 등 자신을 이해해 주지 않는 무심한 말들에 상처받는 학생들도 있었습니다. 결국 이러한 사례의 공통점은 부모님이 자신의 마음을 이해하지 못하는 것에서 느끼는 실망과 분노였습니다.

하지만 입장을 바꾸어 생각해보면, 반대로 우리 역시 부모님이 직장에서 어떠한 생활을 하고 있고, 최근 어떤 고민을 하고 있는지 잘 모르고 있습니다. 자신의 학교생활을 소화하기도 바쁘기에 부모님이 어떤 생활을 하고 있는지 관심도 두지 못하는 경우가 대부분입니다. 부모님도 마찬가지입니다. 우리가 직접 나서서 표현하지 않으면, 우리의 학교생활이 얼마나 힘든지, 평소에 어떤 고민을 하고 있는지 알 수 없습니다. 또 부모님의 기억 속에는 함께 있는 시간이 많았던 비교적 여유로웠던 중학교 때 그리고 그 이전 아주 어린 시절의 여러분 모습을 기억하고 있기에 고등학생이 되어 무뚝뚝해진 자녀의 모습이 많이 낯설 것입니다.

부모님은 우리의 학교생활이 늘 궁금합니다. 여러분과 늘 소통하고 싶어 하고 좀 더 가까워지고 싶어 합니다. 그래서 여러분의 표정 변화를 살피고, 학교생활에 관해 이야기를 나누려고 노력합니다. 고등학교에서 공부가 얼마나 중요한지 이미 경험한 분들이기에 혹시나 공부에 소홀한 건 아닌지 걱정이 되는 것입니다. 부모님이 여러분을 이해해 주지 않는 것이 아니라 그저 '잘 모를 뿐'입니다. 그러니 앞으로 부모님과 크고 작은 다툼이 잦을 때는 일단 부모님과 자주 대화를 하면서 평소 가지고 있는 고민 그리고 학교생활에 관해서 이야기를 나누며 소통하는 것이 중요합니다. 혹시나 부모님이 여러분을 이해하지 못하는 듯한 말씀을 할 때는 너무 기분 나빠하거나 속상해하지 말고 이렇게 생각해봅니다.

'부모님이 내게 관심을 가지고 소통하고 싶어 하시구나. 나를 이해하지 못 하실 분들이 아니야. 앞으로 좀 더 대화하며 내 생각을 더 표현해야겠다.'

부모님은 늘 여러분의 편입니다. 자식이 더욱 잘되기를 바라는 마음에, 늘 든든하게 뒤에서 지원하고 응원하고 있습니다. 그러니 여러분도 부모님의 말씀에 너무 큰 의미를 부여하고 상처받기보다는 앞의 방식대로 건강한 해결책을 통해 좀 더 소통하기 위해 노력하길 바랍니다.

학교생활 노하우
5

다른 사람의 시선이
신경 쓰일 때 극복 방법은?

우리는 생각보다 다른 사람들의 시선을 많이 신경 쓰면서 살고 있습니다. 어쩌면 타인의 시선을 신경 쓰는 자세도 어느 정도 우리 인생에서 필요할지 모릅니다. 그걸 '눈치'라고 부르기도 하니까요. 저 역시도 평소 다른 사람들의 시선을 정말 많이 신경 쓰는 편입니다. 대부분 사람은 '내가 이 행동을 했을 때 다른 사람들에게 폐를 끼치지는 않을까', '혹시 내가 다른 사람들보다 뒤처지는 것은 아닐까', '나 혼자만 튀는 행동을 하는 것은 아닐까' 하는 생각을 하면서 살아갑니다. 하지만 최소한 공부에 있어서 만큼은 다른 사람들의 시선을 신경 쓰지 않아야 합니다. 공부할 때 '타인의 시선을 신경 쓰는 순간' 자신의 공부는 중심을 잃게 됩니다. 구체적으로 어떤 안 좋은 점이 있는지 내신 공부, 수능 공부, 대학 입시로 나누어 살펴 봅니다.

내신 시험공부를 할 때는 자신에게 필요한 공부를 하는 것이 중요합니다. 만약 자신이 전교 1등이더라도, 수학 기초 개념이 부족하면 기초를 공부해야 합니다. 만약 자신이 전교 200등이더라도, 영어 과목은 잘하는 학생이라면 영어는 심화 공부를 하는 것이 맞습니다. 하지만 대다수 학생이 소신 있게 자기에게 필요한 공부를 하기보다는 친구들의 시선을 신경 씁니다. 자신이 전교 1등이니 수학 기초 개념을 공부하는 모습을 다른 친구들이 보면 부끄럽고, 숨기고 싶다는 생각이 듭니다. 반면 자신이 전교 200등이면 영어 심화 공부를 하는 모습을 다른 친구들이 보면 왠지 놀림을 받을 것 같고, 하지 말아야 할 공부를 하는 것은 아닐지 걱정하게 됩니다.

내신뿐만 아니라 수능 시험공부도 마찬가지입니다. 인강으로 공부할 때, 자신의 수준에 맞는 강의를 들으면 됩니다. 주변 친구들이 '00 선생님'의 '00 강의'를 많이 듣는다고 해서, 그 강의를 따라 들을 필요는 없습니다. 특히 해당 강의가 N등급 학생들에게 맞춰진 강의일 때 자신이 N등급이 아니라면, 오히려 듣는 것이 시간 낭비일 수 있습니다.

학생들이 다른 친구들과 선생님들의 시선을 가장 많이 신경 쓸 때가 바로 대학 입시입니다. 대학 원서를 쓰는 시기가 오면, 자신이 쓸 대학을 정할 때 이런 생각을 많이 합니다.

'내가 나보다 높은 성적의 친구랑 같은 대학을 쓸 실력이 될까?'
'내가 나보나 낮은 성적의 친구랑 같은 대학을 쓰다니, 조금 창피하다.'
'내가 OO 대학을 쓴다고 하면 친구들과 선생님이 무시하겠지?'

이런 생각들이 떠오르기 시작하는 순간, 자기 성적에 맞는 대학 원서를 적지 못하고 갈등하여 결국 잘못된 선택을 하기 쉽습니다. 특히 성적보다 조금 높은 대학을 하나 정도 지원해 봐도 되는데, 괜히 남들의 시선 때문에 적지 않았다가 후회하기도 합니다. 남들이 무시할 것 같다는 이유로 정작 필요한 공부를 못 하고, 자신이 지원해야 할 학교를 쓰지 않는 건, 결국 자신의 성장을 방해하는 것입니다. 그러니 다른 사람이 어떻게 생각하든 최소한 공부와 진로에 있어서 만큼은 중심을 확실히 잡고 소신껏 나아갔으면 합니다.

좋은 과외 선생님을 구하는 특별한 기준은?

우리는 학업적으로 부족한 부분에 대해서 '개인 과외'를 활용하기도 합니다. 과외는 자기 수준에 딱 맞는 수업을 들을 수 있다는 장점이 있습니다. 이런 개인 과외에서 가장 중요한 것은 바로 과외 선생님입니다. 학생과 선생님 단둘이 진행하는 수업이기 때문에 서로 잘 맞아야 수업이 효과적으로 이루어지기 때문입니다.

하지만 과외 선생님을 구할 때 명확한 기준이 없이 '비용'만 고려하거나 '학력'만을 고려하여 선생님을 구하는 등 표면적인 부분만을 보고 선택하는 게 일반적입니다. 하지만 과외 선생님이 어떤 분이고, 어떻게 가르치느냐에 따라 성적에 큰 영향을 미칠 수 있기에 적절한 기준들을 가지고 꼼꼼히 따져볼 필요가 있습니다. 지금부터 '좋은 과외 선생님을 구하는 10가지 기준'에 대해 알아봅니다.

비용 〜〜〜

과외는 보통 1대1로 진행하기 때문에 일반적으로 학원보다 가격이 비싼 편입니다. 그래서 간혹 과외 선택 기준의 1순위를 합리적인 비용으로 보기도 합니다. 하지만 좋은 과외 선생님을 구하기 위해서는 무조건 비용이 저렴한 선생님만 찾으면 안 됩니다. 물론 가격이 비싸다고 해서 무조건 좋고, 비용이 저렴하다고 해서 그만큼 잘 가르치지 못한다는 것은 아니지만, 단순히 비용이 저렴하다는 이유로 선택하면 안 된다는 뜻입니다. 비용보다는 선생님의 역량과 수업 방식에 초점을 맞추어야 합니다. 간혹 과외 비용을 물어봤는데 명확하게 대답을 안 하고 오히려 학생에게 어느 정도 생각하고 있냐고 묻는 선생님들은 되도록 피하는 게 좋습니다. 비용을 정확하게 정해 두지 않고 상황에 따라 비용을 정하는 선생님보다는 자신만의 과외 비용이 정해진 선생님을 고르는 게 좋습니다.

경력과 실적 〜〜〜

과외 선생님을 구할 때 가장 먼저 물어봐야 하는 건 경력입니다. 몇 년 동안 과외를 진행했고, 어떤 과목을 했고, 몇 학년을 주로 맡았는지, 특히 가르친 학생들의 성적이 어느 정도 향상된 사례가 있는지를 꼼꼼하게 물어봐야 합니다. 가능하다면 혹시 증명할 수 있는 자료가 있는지 물어봐도 괜찮습니다. 그러나 올해 막 입학한 새내기 대학생에게 과외받는 것은 추천하지 않습니다. 아직 아이들을 가르쳐본 경력이 많이 없으니 여러분이 그 선생님의 '첫 번째 학생', 즉 첫 과외의 실험 대상이자 희생양이 될 수도 있기 때문입니다. 최소 1년 이상 또는 5명 이상 가르쳐 본 경력을 가진 선생님에게 과외받는 것이 안정적입니다.

수업 중인 학생 수 〰〰

과외 선생님에게 물어봐야 할 것 중 하나는 현재 수업 중인 학생 수입니다. 수업 중인 학생 수가 많으면 많을수록 좋은 걸까요? 그렇지 않습니다. 지금까지 가르친 학생 수가 많은 것은(저는 수업을 받는 학생이 7명 이상이면 많다고 생각합니다.) 경력이 있고, 경험이 많다는 것이니 좋습니다. 하지만 현재 수업 중인 학생 수가 많다는 것은 학생 개개인에게 신경 쓸 시간이 부족하다는 의미입니다. 과외의 큰 장점 중 하나가 '학생 개인별 맞춤 수업'인데, 수업 중인 학생 수가 너무 많으면 아무래도 선생님의 신경이 많이 분산되어 그만큼 혜택을 받지 못할 수 있고, 나중에 보충할 시간을 잡기도 힘들 것입니다.

과외 선생님과 부모님과의 전화 상담 〰〰

학생이 먼저 과외 선생님과 전화나 카톡 등으로 상담을 해본 뒤에 마음에 들면 부모님께 이야기하여 과외를 결정하는 경우가 많습니다. 학생과 선생님이 상담을 충분히 했더라도, 부모님과 과외 선생님 사이의 전화 상담도 필수입니다. 어른들만 알 수 있는 과외 선생님의 말투나 태도 등을 통해 인성을 파악할 수 있기 때문입니다. 자기 생각을 잘 말하고 자신 있는 태도에 예의 바른 과외 선생님이라면 더욱 믿고 맡길 수 있습니다. 그러니 꼭 부모님과의 전화 상담도 진행해야 한다는 걸 명심합니다.

전문성 〰〰

수학 과외 선생님이 무조건 수학과 출신일 필요는 없습니다. 의대나 교대 등 해당 과목에 대한 충분한 경력과 실적, 좋은 수능 점수가 있으면 됩니다. 하지만 한 선생님이 세 과목 이상 수업하는 것은 좋지 않습니다. 가르치는 학생 수가 많으면, 학생 개개인에게 신경쓸 시간이 부족한 것과 같은 맥락입니다. 한 선생님이 세 과목 이상 수업을 하면, 한 개의 과목에 대한 준비 시간이 1/3로 줄어들기 때문에 학습법을 연구하고 수업을 준비하는 시간이 부족해질 수 있습니다. 물론, 세 과목 이상 수업한다고 해서 무조건 좋지 않다는 것은 아니지만, 분명히 여러 과목을 다루기보다는 한 과목에 집중하는 선생님을 추천합니다.

시범 과외 〰〰

시범 과외는 과외를 선택하기 전에 꼭 받아 보길 추천합니다. 사실 아무리 좋은 과외 선생님이라고 해도 전화 상담만으로는 수업 방식이 어떤지 확인할 수 없습니다. 가능하다면, 시범 과외를 통해 선생님의 수업을 직접 들어보면서 수업 스타일을 알아보고 쉽게 잘 가르치는지, 또 여러분의 실력을 제대로 테스트하는지 확인해 봅니다. 학생의 실력도 정확히 모르고 바로 수업을 시작하는 것은 비효율적인 수업이기 때문입니다.

정리하자면, 전화 상담만으로 끝내지 말고 반드시 시범 과외를 요청해서 수업 스타일을 살펴보고, 시범 과외를 하면서 학생의 레벨 테스트를 진행해 맞춤형 수업을 하는지 확인하며, 최소한 두세 명 이상의 과외 선생님들에게 시범 과외를 받아보고 결정할 것을 명심합니다.

지속성 〰〰

과외 선생님이 갑자기 군대에 가거나, 취업 및 학업 등의 개인 사정으로 과외를 중단해야 한다면 정말 당황스러울 것입니다. 물론 사람의 일이라 가끔 예상치 못한 일이 일어날 수 있지만, 과외를 시작하기 전에 혹시 군대는 언제쯤 가게 되는지, 반수나 취업 계획이 있는지 확실히 물어보는 게 좋습니다. 오랜 기간 함께할 과외 선생님을 구하는 일이니 다른 계획이 있는 분은 피하는 게 좋습니다.

학습 커리큘럼 〰〰

상담과 시범 과외를 진행할 때 꼭 과외 선생님에게 학습 커리큘럼에 관해 물어봅니다. 커리큘럼은 단순히 어떤 교재를 쓸 것인지에서 끝나는 게 아니라 어떤 교재를 몇 달 안에 끝내고, 그 후에는 어떤 교재로 어떻게 수업을 할 것인지, 최소 몇 달 이상의 전반적인 계획이 있는지 확인합니다. 과외의 매력 중 하나가 진도를 빠르게 끝낼 수 있다는 것인데, 본인만의 장기 계획이 없는 선생님은 진도가 계속 느려지고 해당 교재가 언제 끝날지, 앞으로의 계획이 뭔지도 정확하지 않아 신뢰하기 어렵습니다. 그리고 그렇게 장기적인 커리큘럼을 잘 따라갔을 때, 최소 몇 등급의 성적을 보장할 수 있는지도 조심스럽게 물어보는 게 좋습니다. 선생님만의 뚜렷한 계획이 없다면 믿고 따라가기는 어렵다고 생각합니다.

학력 〰〰〰

공부를 잘하는 것과 잘 가르치는 것은 별개의 문제입니다. 물론 좋은 대학에 입학했다면 잘 가르칠 확률이 높을 수는 있지만, 반드시 그렇다는 보장은 없습니다. 유명 대학이 아니어도 해당 과목의 성적이 좋은 과외 선생님이라면 더 잘 가르칠 수도 있습니다. 그래서 대학의 이름만 보고 과외 선생님을 선택하는 것은 위험합니다. 다만, 과외 선생님의 '학력'을 확인해야 하는 것은 정확히 무슨 대학의 무슨 과에 재학 중인지, 몇 학년인지를 '재학증명서'를 통해 확인해야 한다는 점입니다. 물론 대다수 선생님은 아니지만, 극히 일부가 학력을 속이고 과외를 하는 경우도 있습니다. 그러니 '재학증명서'를 요구하는 것은 절대 무리한 요구가 아닌 당연히 거쳐야 할 하나의 과정이라고 생각합니다.

흡연 여부 〰〰

　담배 냄새에 민감한 친구들은 과외 선생님의 흡연 여부도 미리 확인하는 것이 좋습니다. 사실 학생 중에서 '담배 냄새'를 싫어하는 학생들이 상당히 많습니다. 저도 담배 냄새를 싫어하는 편이라 과외 선생님을 구할 때 흡연 여부를 먼저 물어봤습니다. 최대한 본인에게 맞는 선생님을 구하는 게 가장 중요하기 때문입니다.

　저는 고등학생 때 비용만 고려한 채 과외를 선택했습니다. 그 결과 수업 스타일도 잘 맞지 않았고, 수업 진도도 너무 느려서 한 달 만에 과외를 그만두게 되었습니다. 하지만 고등학교 2학년 때 과학 과외를 구할 때는 경력, 비용, 수업 중인 학생 수, 흡연 여부 등을 종합적으로 고려하고 특히 시범 과외를 미리 받아보면서 수업 스타일을 파악한 후 수업을 시작했습니다. 그 결과 저와 잘 맞는 과외 선생님을 찾을 수 있었고, 3학년 수능 전까지 함께하면서 결과적으로는 좋은 성적을 받는 데 많은 도움을 받았습니다. 그러니 지금까지 알아본 '좋은 과외 선생님을 구하는 10가지 기준'에 따라 과외 선생님을 구한다면, 자신과 잘 맞는 과외 선생님을 구하는 데 많은 도움이 될 것입니다.

수험생 커뮤니티의
가장 좋은 활용법은?

　많은 중고생과 학부모들은 '수험생 커뮤니티'를 이용합니다. 대
표적인 수험생 커뮤니티는 '수만휘^{cafe.naver.com/suhui}', '포만한^{cafe.}
^{naver.com/pnmath}', '오르비^{orbi.kr}', '대입부^{cafe.naver.com/genieforyouruniv}' 등
이 있습니다. 저도 고등학생 때는 다양한 학습 정보를 얻기 위해 수
험생 커뮤니티에, 하루에 한두 번은 꼭 들어갔습니다. 커뮤니티를
통해 공부 방향을 수정하기도 하고, 새로운 정보를 얻기도 했습니
다. 이러한 수험생 커뮤니티는 잘 활용하면 많은 도움이 됩니다. 하
지만 잘못하면 오히려 공부에 방해가 될 수 있습니다. 그래서 이번
에는 수험생 커뮤니티의 '올바른 활용법'을 정리해 보았습니다.

수험생 커뮤니티의 활용법으로 첫째, 교재 선택 시, 다른 학생들의 후기를 참고하는 목적으로 활용하는 것입니다. 어떤 교재를 선택할지 고민이 많을 때는 수험생 커뮤니티에서 해당 인강과 교재를 검색해 다른 학생들의 후기를 참고하는 것이 좋습니다. 열심히 교재들의 구성을 보고 비교해 보아도 직접 풀어본 학생들의 평가를 듣는 것이 교재 선택에 더욱 도움이 되기 때문입니다.

둘째, 게시판에 질문은 하되, 모든 답변을 100% 믿지 않는 것입니다. 학교생활이나 평소 학습에 관해 궁금한 부분이 생기면 수험생 커뮤니티 게시판에 질문을 해도 괜찮습니다. 하지만 그에 달린 답변을 100% 신뢰하는 것은 좋지 않습니다. 답변을 단 사람들은 선생님이나 전문가가 아닌, 여러분과 나이대가 비슷한 중고등학생들이나 평범한 대학생인 경우가 많기 때문입니다. 그러니 게시글에 달린 답변을 참고만 할 뿐 맹신하지 말아야 합니다.

셋째, 수험생 커뮤니티에 칼럼이 있다면, 반드시 꼼꼼히 읽어보는 것이 좋습니다. 수험생 커뮤니티에서 가장 중요하게 봐야 하는 것은 칼럼입니다. 각종 수험생 커뮤니티에는 과목별 학습이나 공부 생활을 다루는 칼럼들을 따로 다루는 게시판이 있거나, 일반 게시물로도 자주 올라오는 편입니다. 이 칼럼들은 대부분 해당 과목에서 높은 성적을 받았거나, 좋은 대학교 및 학과에 다니는 대학생들이 쓴 것입니다. 이 칼럼을 통해서 학습에 관한 엄청난 방법까지는 아니더라도, 크고 작은 공부 관련 노하우를 얻을 수 있습니다.

넷째, 수험생 커뮤니티는 놀이터가 아니라는 것을 인지하는 것입니다. 많은 학생이 매일 반복되는 공부와 바쁜 학교생활로 지치고, 모든 공부가 끝난 밤, 수험생 커뮤니티에 들어가 다른 학생들의 질문들을 읽어 보면서 시간을 보내기도 합니다. 수험생 커뮤니티는 아무리 학습 관련 내용이 주를 이루고 있지만, 스스로 시간제한을 두지 않고 아무런 목적 없이 보게 되면, 이용 시간은 점점 늘어나 하루에 30분 넘게 커뮤니티를 들여다보는 경우가 생깁니다. 다른 학생들의 고민만 보고 있는 것은 공부에 아무런 도움이 되지 않습니다. 그러니 필요한 칼럼을 읽거나, 질문을 하는 등 확실한 목적이 있을 때만 10분 정도로 시간제한을 두고 활용하는 것을 추천합니다. 그 외 아무런 목적이 없을 때는 커뮤니티의 이용을 줄이는 것이 좋습니다.

간혹 수험생 커뮤니티 내에서 친목을 쌓는 경우도 있는데, 저는 이러한 친목보다는 커뮤니티의 원래 목적에 부합하게 단순히 정보를 얻는 목적으로만 활용하는 것이 학습에 가장 도움이 된다고 생각합니다.

학습 플래너는
꼭 써야 할까?

저는 고등학교 3년 동안 늘 학습 플래너를 쓰면서 공부했습니다. 중학생 때는 플래너를 쓰지 않는데, 그러다 보니 특정 과목에 치우쳐 공부하는 경우가 많았습니다. 또 객관적으로 얼마나 공부했는지 파악하기 어려웠습니다. 더욱이 중학교 때는 수학 공부를 좋아하는 편이 아니었기에 수학 숙제도 자꾸만 미루고, 좋아하는 과목 위주로 공부하게 되었습니다. 그래서 고등학생이 되면서부터는 학습 플래너를 꼭 쓰려고 노력했고, 과목별로 해야 할 공부를 미리 정해 두다 보니 놓치는 공부 없이 좀 더 꼼꼼하고 체계적으로 학습을 진행할 수 있었습니다. 그래서 될 수 있으면 '학습 플래너'를 작성하는 것이 좋다고 생각합니다. 하지만 학습 플래너를 쓰는 것이 익숙하지 않은 학생들도 있으니, 플래너를 쓸 때 고려하면 좋은 점들을 살펴봅시다.

먼저 전날 밤에 다음 날 학습 플래너를 쓰고 자는 게 좋습니다. 많은 학생이 아침에 그날 할 공부에 대한 계획을 세우고 플래너를 작성합니다. 하지만 플래너를 쓰는 건 기본적으로 10분 이상이 걸리는 일이라 당일 아침에 쓰면 공부 시간에 방해가 되기 쉽습니다. 특히 중고등학생들은 아침에 등교 준비로 바쁘고, 학교에 가서도 아침 시간에는 여유가 없기 때문에 차분하게 플래너를 쓰기 어렵습니다. 그래서 저는 늘 전날 밤에 다음 날 할 공부 계획을 세워 학습 플래너를 쓰고 잠드는 것을 습관화했습니다.

또 1주일과 한 달 단위의 공부 계획도 함께 적는 게 좋습니다. 학습 플래너를 작성할 때는 하루 단위의 계획만 세우다 보면, 명확한 과목별 '진도'의 기준이 없다 보니 진도가 너무 빠르거나 느려질 수 있습니다. 특히 내신을 앞두고는 내신 시험 전에 모든 내신 공부를 끝내야 해서 하루 단위의 공부 계획만으로는 전체 진도에 문제가 생길 수 있습니다. 그러니 학습 플래너에는 1주일 그리고 길게는 한 달 단위의 계획까지 세워 두는 것이 좋습니다.

학습 플래너의 계획은 최대한 세부적으로 작성하는 게 좋습니다. 학습 플래너를 쓰는 목적은 객관적으로 학습 계획을 파악하고, 좀 더 체계적으로 공부하기 위함도 있지만, '공부에 대한 동기 부여'의 목적도 있습니다. 만약 플래너에 '단어장 1-3과 암기'라고 적어 두었다면 1, 2, 3과를 모두 암기해야 하니 어려워서 포기하고 싶어질 수 있습니다. 하지만 좀 더 세부적으로 '단어장 1과 암기', '단어장 2과 암기', '단어장 3과 암기'라고 적는다면 하나씩 끝낼 수 있어 좀 더 가벼운 마음으로 계획을 지킬 수 있습니다. 또 '수학 문제집 1-20p' 풀기라고 적으면 20페이지의 분량이 부담될 수 있습니다. 그러니 '수학 문제집 1-7p', '수학 문제집 8-14p', '수학 문제집 15-20p' 이런 식으로 2-3개로 세분화해서 적어 두면 지치지 않고 계획을 실천하며 공부할 수 있습니다.

공부에 유용한 앱&사이트를 추천한다면?

중고등학교 때 그리고 의대를 다니면서 실생활에 유용하게 사용한 앱과 사이트를 추천합니다. 저는 갤럭시 스마트폰을 사용했기 때문에 안드로이드 환경을 기준으로 소개합니다.

이어폰 알람 〰〰

카페나 도서관, 독서실 등 주위 환경이 조용한 곳에서 공부할 때 잠깐 낮잠을 자고 싶을 때가 있습니다. 그때 사용하기 좋은 앱입니다. 이 앱은 이름 그대로 이어폰을 끼고 있을 때 알람이 주변에 들리지 않고 이어폰으로만 들리는 앱이라서 유용합니다.

알라미 – 상쾌한 아침을 열어주는 알람 시계 〰〰

알라미 – 상쾌한 아침을 열어주는 알람 시계
Alarm Clock Alarmy
광고 포함 · 인앱 구매

평범한 알람 시계 앱처럼 보이지만, 그렇지 않습니다. 이 앱은 알람을 끄기 위해 해야 할 미션을 설정할 수 있습니다. 미션은 수학 문제 풀기, 따라 쓰기, 메모리 게임, 흔들기, QR/바코드 찍기, 스쾃, 걷기 등 다양하게 설정할 수 있습니다. 알람을 듣고도 잘 일어나지 못하는 학생들이 이 앱을 이용한다면 꼭 미션을 완료해야만 알람을 끌 수 있으니 어쩔 수 없이 일어나게 됩니다.

KICE TIMER(kice-timer.kr) 〰〰

2022년에 처음 오픈한 KICE TIMER는 실제 모의고사나 수능을 보는 것처럼 문제 푸는 연습을 해볼 수 있는 사이트입니다. 사이트에는 '국어/수학/영어/탐구'를 선택해 실제 수능 시험 시간과 똑같이 시간을 재면서 문제를 풀게 되어 있습니다. 국어를 예로 들면,

과목별로 시간을 선택할 수 있는 카이스타이머

문학/비문학을 선택할 수 있는데, 파트별로 문제를 다 풀었을 때 해당 버튼을 누르면, 각 문제를 푸는 데 걸린 시간까지 확인해 볼 수 있습니다. 제가 늘 강조하는 것 중 하나는 평소에 '시간 내로' 문제 푸는 연습입니다. 이 사이트를 활용해서 시간 내로 모의고사 푸는 훈련을 한다면 성적 향상에 많은 도움이 될 것입니다.

수능 D-100일을 앞둔
수험생들에게 해주고 싶은 말

수능 D-100일, 학원 수업이 끝나고 집으로 가서 방에서 공부하다가 갑자기 눈물이 나왔습니다. 저는 평소에 힘든 걸 잘 표현하지 않고 가슴 안에 담아 두는 편이라, 공부하는 것에 대해 큰 부담감 없이 수험 생활을 잘 이겨내고 있다고 생각했었습니다. 그리고 사실 수험 생활을 하는 동안에는 '수능'을 본다는 게 별로 실감 나지 않았습니다. 그런데 딱 수능 100일 전에 주변 친구들, 선생님들, 선배들에게 수능 100일 선물을 받고, 응원 메시지를 받다 보니 수능이라는 게 정말 내 앞에 다가왔다는 게 실감 나기 시작했습니다. 하지만 그동안 해둔 공부가 많이 부족해 보이고, 의대 합격이 그렇게 어렵다던데 내 실력에 비해 너무 큰 꿈을 꾸었나 싶은 생각도 들었습니다. 수능이 100일밖에 안 남았는데 아직 해야 할 공부는 많이 남았고, 주변의 기대감에 주눅이 들기 시작했습니다.

이런 저런 생각들이 막 떠오르면서 그냥 다 포기하고 싶어졌습니다. 수능이 100일 남았다는 게 믿기지도 않았고, 그냥 모든 짐을 훌훌 벗어 던지고만 싶었지요. 그러면서 왈칵 눈물이 나와서 조용히 혼자서 눈물을 훔쳤던 기억이 납니다.

그래서 저는 하던 공부를 멈추고, 인강 선생님들이 수능 100일에 대해서 어떻게 말씀하는지 찾아봤는데, 그중 한 선생님이 이렇게 말씀했습니다.

"이미 수능 D-100일까지 버텼다는 것 하나만으로도 잘하고 있는 거야. 이때까지 못 버티고 중간에 포기하는 학생들도 얼마나 많은데, 지금까지 열심히 공부했다는 사실 하나만으로 너는 박수를 받아도 되고, 당당해도 돼. 그러니 100일만 더 노력해 보자."

이 말을 듣고, 저는 힘을 얻을 수 있었습니다.

그동안 의대를 지망하는 다른 학생에 비해 공부를 많이 하지 않은 것 같다는 생각에 힘들었었는데, 수능 D-100일까지 포기하지 않고 온 것만으로도 정말 잘한 거라는 선생님의 말씀에 다시 한번 열심히 공부할 수 있는 원동력을 얻을 수 있었습니다.

여러분도 수능 D-100일까지 힘든 순간에도 포기하지 않고 버틴 것 하나만으로도 충분히 잘했고 박수 받을 만한 일입니다. 그러니 이제는 과거에 연연하지 말고 앞만 보고 달려 나가세요.

수능 D-100, 여러분의 성적을 바꾸기에 충분한 시간입니다. 지금까지 잘 버텨온 여러분, 남은 100일도 끝까지 잘 마무리합시다.

이미 수능 D-100일까지 버텼다는 것 하나만으로도
잘하고 있는거야. 이 때까지 못 버티고 포기하는 학생들도
얼마나 많은데. 지금거저 열심히 공부했다는 사실
하나만으로 너는 박수 받아도 되고, 당당해도 돼.
그러니 우리 100일만 더 노력해보자.

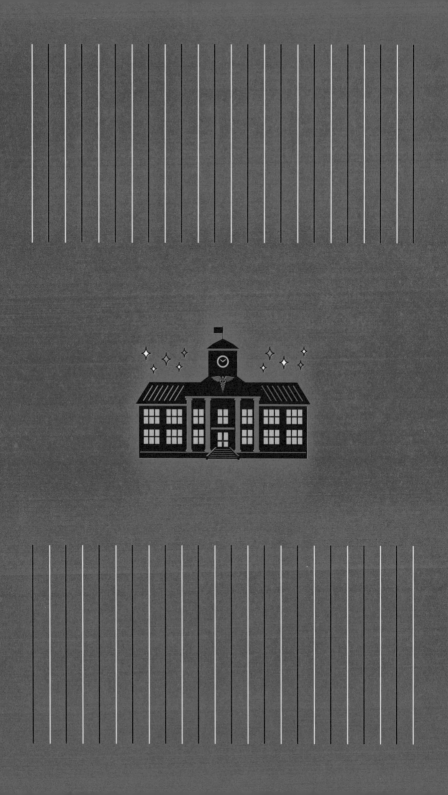

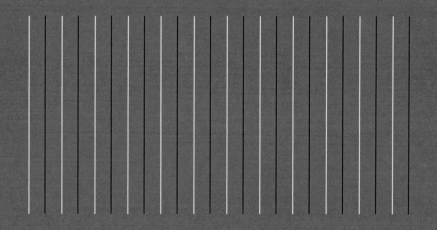

6장

생활기록부 관리와
입시 준비의 모든 것

생기부와 입시 노하우
1

생활기록부를 관리하는 특별한 노하우가 있다면?

수시 전형은 크게 교과 전형과 종합 전형으로 나눌 수 있습니다. 교과 전형은 오직 내신 성적만 반영되는 것이고, 종합 전형은 내신 성적에 '생활기록부'까지 함께 평가받는 것입니다. 그래서 생활기록부는 대학 입시에 반영되는 만큼 중요한 요소가 됩니다. 그러니 아무 계획 없이 학교 활동을 하는 것보다는, 자신만의 생활기록부 관리 계획을 세우는 것이 좋습니다. 이를 위해 제가 생활기록부를 관리하면서 고려했던 사항들을 정리해 보았습니다.

진로의 구체화 〰〰

의대 진학을 목표한다고 해서 1학년 때부터 '의대'에 맞추어 생활기록부를 채울 필요는 없습니다. 만약 1학년 때부터 의대에만 맞추었는데 2, 3학년이 되어 내신 성적이 잘 나오지 않았다면 돌이킬 길이 없기 때문입니다. 그리고 희망하는 진로가 바뀔 때도 대처가 어려울 수 있습니다. 그래서 생활기록부를 관리할 때는 1학년 때부터 뚜렷한 하나의 진로를 정해 두는 것보다는 일단 폭넓게 진로를 설정하고, 학년이 올라갈수록 점점 더 진로를 구체화하여 그에 맞는 학교 활동들을 수행하는 것이 좋습니다. 저 역시 1학년 때는 폭넓게 '의료계 종사자'로 설정해 두고, 2학년 때는 '의학 계열 연구원', 마지막 3학년 때는 더 세부적으로 들어가 '분자생물학 연구원'으로 희망 진로를 설정하였습니다. 이렇게 설정해서 좋았던 점은 제가 수시 지원을 할 때 중앙대 의대 말고도, 서울대학교 '식물생산과학부'라는 생명 분야, 고려대학교 '보건환경융합과학부'라는 보건 분야, 원광대 '치의예과'라는 치의학 분야, '지스트, 디지스트'라는 순수 과학 분야에 모두 지원할 수 있었고, 최종 합격까지 할 수 있었습니다. 그러니 진로를 너무 확고히 하나로 고정하는 것보다는 폭넓게 설정해 두고, 학년이 올라갈수록 조금씩 구체화하는 방법을 추천합니다.

내용의 심화성 〰〰

좋은 대학에 진학하기 위해서는 1학년 때부터 깊이 있는 내용으로만 채워야 좋다고 생각하기 쉽습니다. 하지만 더욱 중요한 것은 1학년 때부터 3학년 때까지 학년이 올라갈수록 내용이 점점 심화하는 것을 보여 주는 것입니다. 이를 통해 여러분이 학년이 올라갈수록 점점 성장하고 있음을 보여 줘야 합니다.

저는 1학년 통합과학 생활기록부에는 《해양 산성화》, 《탄소 동소체》, 《탄소 문명》이라는 책 읽기 등을 통해 의학 분야에 대한 심화 내용보다는 통합과학 수준에 맞는 전반적인 과학 분야에 대한 관심을 보여 주었습니다. 그리고 2학년 생명과학1 생활기록부에는 'SNP'라는 단어나 '오가노이드'를 활용한 두 바이러스 간의 교차 방어 등 생명 분야에 대해 좀 더 심화한 내용을 다루었습니다. 그 후 3학년 생명과학2 생활기록부에는 좀 더 의학 분야에 초점을 맞추어 '크리스퍼 유전자 가위'와 'RT-PCR' 등에 관한 한층 심화한 내용을 다루면서 학년이 올라갈수록 성장하고 있음을 보여 주었습니다.

연결성 〜〜〜

2024년 대학 입시부터는 '자기소개서'가 폐지되었습니다. 자기소개서가 폐지되었다는 것은 이제 자기소개서의 역할까지 생활기록부가 함께 수행한다는 의미입니다. 그렇다면 원래 자기소개서는 대학 입시에 있어서 어떤 역할을 했을까요? 고등학교 1학년부터 3학년까지 모든 활동이 생활기록부에 기록되지만, 대부분 흩어져 있습니다. 그래서 자기소개서는 생활기록부에 기재된 활동들을 연결해 주는 역할을 했습니다. 즉 고등학교 3년간 했던 활동들이 모두 동떨어진 것이 아니라, 본인만의 뚜렷한 목적과 의도를 가지고 했음을 강조함으로써 누군가의 지시가 아닌 '자발적'으로 활동했다는 것을 드러낼 수 있었습니다. 하지만 이제 자기소개서가 폐지되면서, 3년간의 활동의 연결성을 보여 주는 도구가 사라졌습니다. 그러니 이제부터는 생활기록부 내에서 활동 간의 '연결성'을 명시적으로 보여 주는 것이 좋다고 생각합니다. 연결성을 명시적으로 드러내는 예시를 두 가지 들어보겠습니다.

예시 1 >>>

[3학년 동아리 활동 세특]
2학년 생명과학1 시간에 개념으로만 접한 '오가노이드'의 구체적인 원리를 탐구하고자 '3D 바이오 프린팅' 관련 논문을 탐독함.

→ 이렇게 3학년 동아리 활동 세특에 직접적으로 '2학년 생명과학1 시간'을 연결함으로써 활동을 자연스럽게 연결한다.

예시 2 >>>

[3학년 생명과학1 세특]
1학년 동아리 활동 시간에 '전기영동'의 원리를 탐구한 경험을 바탕으로, 조장을 맡아 '전기영동 및 PCR 실험'을 직접 기획하고, 조원들과 실험을 진행함.

→ 이렇게 3학년 생명과학1 세특이지만, '1학년 동아리 활동 시간'에 했던 활동과 연결됨을 명시적으로 드러내면서 자기소개서의 역할을 대신할 수 있음을 보여 준다.

역발상 〰〰

수학, 과학을 잘하는 의대 지망생들은 많습니다. 국어, 영어를 잘하는 서울대 문과 지망생들도 많습니다. 자신을 이러한 학생들과 차별화하려면, '심화 활동'을 더 많이 하면 될까요? 물론 어느 정도의 심화 활동도 중요하지만, 특목고/자사고 학생들보다 더 많은 심화 활동을 하지 못하는 것이 현실입니다. 그렇다면 자신과 성적대가 비슷한 다른 학생들과 차별화하기 위해서는 기타 과목과 활동에서 먼저 해당 과목에 대한 적극성을 보여 주고, 다음으로 학습 태도 및 인성을 보여 주는 것입니다. 즉, 의대 지망을 기준으로 국어, 사회, 영어 등 수학, 과학 이외의 생활기록부에는 심화 내용도 좋지만 '진로에 관한 태도, 자세, 인성'을 강조하는 용도로 사용하고, 더나아가 모든 과목에 적극적으로 참여하는 모습을 통해 특정 과목에만 집중한 것이 아니라 무엇이든 열심히 하는 자세를 가졌다는 것을 어필하는 것입니다.

실제 제 생활기록부 내용을 예시로 살펴보겠습니다. 2학년 '영어 독해와 작문' 생활기록부에서는 〈울지마 톤즈〉 다큐멘터리 시청과 '적정기술'에 대한 언급을 통하여 빈민국의 열악한 의료 환경에 관심이 있음을 보여 주면서 저의 희망 진로에 대한 태도 및 자세를 보여 주었습니다. 그리고 2학년 '기술/가정' 생활기록부에서는 교과서에서 언급된 '외상 후 스트레스 장애'를 언급하면서, 의사가 인내를 가지고 환자의 이야기를 잘 들어 주는 것이 중요하다고 발표함으로써 의사로서의 자세에 대해서도 언급하였습니다. 마지막

3학년 '자율활동' 생활기록부에서는 학급 반장으로서 건강 캠페인을 진행하고, 코로나19 관련 소식지를 제작하는 등 제 희망 진로 분야에 대한 끊임없는 관심을 보여 주었습니다.

이런 식으로, 만약 여러분이 이과 계열의 진로를 희망한다면 수학, 과학만 중요하게 생각하지 말고 수학, 과학에서는 심화 내용을 드러내되, 그 외의 과목들에서는 희망 진로에 관한 태도, 자세, 인성을 보여 주는 용도로 활용한다면, 그저 공부만 잘하는 친구들과 확실히 차별화가 되어 대학 입시에서 유리한 위치를 차지할 수 있습니다.

세특 주제는
어디에서 찾을까?

　고등학교 생활기록부의 과목별 세특(세부 능력과 특기사항)에는 보통 자신의 희망 진로와 관련된 주제로 채워 넣습니다. 그런데 이런 세특 주제를 잘 찾는 것도 약간의 노하우가 필요합니다. 다음은 유용한 세특 주제를 찾는 4가지 방법입니다.

　첫째, 교과서를 참고합니다. 실제 한 예시로, 2023학년도 건국대학교 학생부종합전형 가이드북을 확인해 보면, '지원 전공에 관련된 '교과 관련 활동'이 있는가?'를 언급하고 있습니다. 그만큼 전공과 관련된 교과 관련 활동이 필요하다는 의미입니다. 이를 위해서 교과서의 목차들을 훑어보면서 조금이라도 자신의 희망 진로와 연결 지을 수 있는 부분이 있는지 찾다 보면 세특 주제를 찾을 수 있을 것입니다.

둘째, 국내와 해외의 논문, 학술지 등을 찾아볼 수 있는 사이트인 RISS^{riss.or.kr}를 활용하는 것입니다. RISS에 들어가서 주제별 인기 학술자료 탭을 눌러 보면 인문학, 자연과학, 공학, 의약학, 예술 체육, 교육 등 각 분야에서 최근 인기 있는 주제를 담은 논문의 제목들을 볼 수 있습니다. 자신의 관심 분야에 들어가 최근 자주 언급되는 주제들을 살펴 보면, 어떠한 주제를 세특에서 다루면 좋을지 발견할 수 있습니다.

셋째, 자신의 희망 진로와 관련된 뉴스 기사를 찾아보는 것입니다. 뉴스를 소재로 활용하면 평소에 여러분이 그 분야에 관심이 있음을 어필할 수 있다는 장점도 있습니다. 각종 포털 사이트의 뉴스난을 참고하여 뉴스와 교과서 내용을 조금이라도 연결 지을 수 있는 부분이 있는지 찾아봅니다.

넷째, 시중에 있는 다양한 책들을 참고하는 것입니다. 책을 구입하거나 학교 도서관이나 주변 도서관에 가서 자신의 희망 진로와 관련된 분야의 책들을 넘겨 보면서 최근 주목받은 기술 또는 최근 토론에서 많이 다뤄졌던 주제 등 세특에서 진로와 관련지어 다룰 만한 내용을 발견하는 방법도 있습니다.

이러한 방법을 적극적으로 활용한다면, 자신의 희망 진로와 들어맞는 적절한 세특 주제를 쉽게 발견할 수 있을 것입니다.

생기부와 입시 노하우
3

대학 원서를 쓸 때 고려해야 할 부분은?

고등학교 3학년이 되면, 수시든 정시든 대학 원서를 씁니다. 이때 일부 학생들은 단지 성적만을 고려해서 깊이 고민하지 않고 대학 원서를 작성합니다. 하지만 대학 원서는 우리가 4년간 다니게 될 학교를 정하는 것이고, 대학마다 전형도 다양한 만큼 아주 신중하게 선택해야 합니다. 저 역시 대학 수시 원서 지원을 앞두고 3-4주 전부터 계속해서 학교 선생님, 부모님과 이야기를 나누면서 어떤 학교에 지원하는 것이 유리할지 고민했습니다. 그 과정에서 공부하는 시간이 줄어들긴 했어도, 그만큼 어느 대학으로 원서를 써야 할지는 정말 중요한 사항이었기 때문에 3-4주 동안 고민한 것을 절대 후회하지 않습니다. 이러한 제 경험을 바탕으로 대학 원서를 쓸 때 고려할 점들을 4가지로 정리해 보았습니다.

첫째, 수능 최저 등급 유무입니다. 대학마다 수시 전형에서 수능 최저 등급, 즉 수시 전형에 합격하기 위해 최소한 받아야 할 수능 성적이 정해진 학교도 있고, 없는 학교도 있습니다. 수능 최저 등급의 유무는 각각 장단점이 존재합니다. 수능 최저 등급이 있는 학교는 수능까지 따로 공부해야 하는 대신, 수능 최저 등급을 맞추지 못한 학생들이 걸러져 경쟁률은 더 낮습니다. 반면 수능 최저 등급이 없는 학교는 수능 공부를 전혀 하지 않아도 되지만, 그만큼 더욱 많은 학생이 지원하니 경쟁률은 더 높아집니다. 그러니 만약 수능 최저 등급을 맞출 수만 있다면, 최저 등급이 있는 학교에 지원하여 좀 더 경쟁률을 낮추는 것도 하나의 지원 전략이 될 수 있습니다.

둘째, 면접 유무입니다. 대학 전형마다 면접이 있는 학교도 있고, 없는 학교도 있습니다. 만약 면접에 자신이 없다면 없는 학교로 지원을 하고, 그렇지 않다면 면접이 있는 학교에 지원하여 면접 준비를 해서 조금이라도 경쟁률을 낮추는 것이 좋습니다.

셋째, 면접 날짜입니다. 만약 수능을 잘 볼 것 같다면, 면접 날짜가 수능 이후에 있는 전형에 지원하는 것이 좋습니다. 그래야 수능을 잘 보았을 때 면접에 가지 않고 수능 점수로 대학에 새로 지원할 수 있기 때문입니다. 그리고 여러 학교의 면접 날짜가 겹치는 경우도 흔하니 지원하는 대학들의 면접 날짜가 겹치지 않는지도 반드시 확인해야 할 사항입니다. 두 곳의 대학에 서류 1차 합격을 했는데, 면접 날짜가 겹쳐서 둘 중 한 곳에만 면접을 보러 가는 일은 없어야 하기 때문입니다.

마지막 넷째는 학교의 위치입니다. 대학 원서를 쓸 때는 학교의 위치 역시 고려할 사항 중 하나입니다. 집에서 통학하고 싶다면 비슷한 수준의 학교라도 집과 좀 더 가까운 학교가 좋을 것이고, 서울 생활을 즐기고 싶다면 서울 또는 수도권 인근의 학교로 지원하는 것이 좋습니다. 결국 자신이 4년 동안 다닌 학교를 정하는 중요한 과정인 만큼 학교 위치 역시 신중히 고려해야 할 사항입니다.

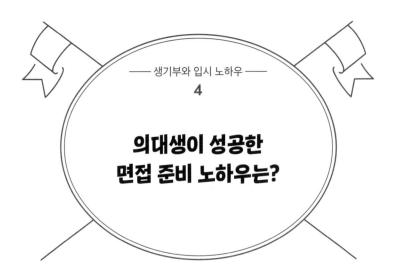

생기부와 입시 노하우
4

의대생이 성공한
면접 준비 노하우는?

여러분이 지원할 전형 중에는 '면접'을 보는 전형들도 많을 것입니다. 면접의 목적은 바로 생활기록부에 있는 내용들이 실제로, 그리고 주도적으로 한 활동인지, 아니면 수동적으로 참여하거나 거짓된 내용을 적은 것은 아닌지를 판단하기 위한 것입니다. 저는 면접을 준비할 때 별도의 외부 도움 없이 혼자서 준비했습니다. 지금부터 저만의 면접 준비 노하우를 공개하겠습니다.

생활기록부의 수학/과학 개념 정리 〜〜〜

　가장 먼저 해야 할 작업은 생활기록부를 첫 페이지부터 꼼꼼히 보면서 수학/과학 관련 용어나 실험이 있는 부분을 형광펜으로 체크하고, 따로 검색하여 정리해 두는 것입니다(문과 계열은 사회 과목과 진로 관련 개념을 정리합니다). 면접에서 자주 물어보는 부분이기 때문입니다. 면접관이 여러분에게 어떠한 개념이나 실험의 원리에 대해 질문하면 바로 대답할 수 있을 만큼 용어들을 하나의 워드파일로 정리해 살펴보면 좋습니다.

예시 〉〉〉

 # 브로콜리 DNA 추출 실험
세제 : 세포막, 핵막 구성하는 지질 녹임
소금물 : NA+은 음전하를 띄는 DNA와 결합 → DNA 뭉치게 함.
에탄올 : NA+가 DNA와 더 많이 결합하게끔 도움

 # PCR
과정 : DNA 변성 → 프라이머 결합 → DNA 합성
설명 : 1세대 : 실시간 X. 정확도, 민감도 낮음. 2, 3세대 : 실시간 가능, 정확도 민감도 높음
　　　2세대는 정량화된 표준물질과 결과 값 비교로 값을 산출
　　　하지만 3세대는 정량화된 표준물질 의존 없이 실제 검출 목표유전자의 양성 검출 수 산출을 통한 절대 정량이 가능함. 많은 양 동시 처리 가능

생활기록부의 책 정리 〰〰

생활기록부에 언급했던 책들에 대해서도 면접관이 자주 하는 질문입니다. 각각의 책에 대해서 줄거리, 중요 내용, 느낀 점 등을 4-5줄 정도로 따로 정리해 두는 것이 좋습니다. 만약 이과 계열이라면 수학·과학 관련 책을, 문과라면 사회 관련 책을 더욱 자세하게 정리하고, 그 외의 책은 좀 더 간략하게 정리하면 됩니다.

예시 1 〉〉〉

일반 도서 정리
《병신과 머저리》- 이청준
'나의 아픔은 어디서 온 것일까.' 6·25 참전병인 형과 달리 몸에 상처 하나 없는 동생이 내적 고뇌를 겪는 모습을 보며 그 당시 무기력한 지식인의 모습을 볼 수 있었다. 이루고 싶은 꿈도 없고, 투명한 미래도 없는 청춘들의 모습이 떠올랐다.

예시 2 〉〉〉

전공 관련 도서 정리
《인류의 미래를 바꿀 유전자 이야기》
액체생검 관련 내용 읽던 중 '테라노스 사기 사건'을 접하게 됨. 라노스의 창업자인 홈즈는 혈액만으로 수백 개의 질병을 진단할 수 있다고 말함. 홈즈는 실제로 독단적인 기업 경영을 하였고, 사람의 목숨은 좌지우지할 수 있는 혈액 검사를 이용한 사기를 벌였기 때문에 비판받아 마땅함. 액체 생검을 탐구하게 된 계기가 된 책. 현재도 여전히 연구 중인 분야

새로 알게 된 것 : DTC 유전자 검사

일반 소비자가 병원을 거치지 않고 민간 유전자 검사업체에 직접 검사를 의뢰해 유전적 질환 가능성 등을 확인할 수 있는 서비스다. 국내에서는 2016년 8월 콜레스테롤 혈당 혈압 탈모 등 12개 항목의 유전자 검사가 허용됐다.

생활기록부에 언급된 토론 정리 〜〜〜

고등학교 3년 동안 수업 시간에 특정 주제를 토론하는 활동을 여러 번 합니다. 면접에서는 생활기록부에 기재된 토론 주제에 대해서 어떻게 생각하며 그 생각의 근거는 무엇인지를 물어보기도 하므로, 그 당시 자신이 찬성과 반대 중 어떤 입장이었고, 어떠한 근거를 활용했는지를 따로 정리해서 알아 둬야 합니다.

예시 1 〉〉〉

[유전자 조작 = '반대']

(인위적으로 유전자를 재조합하거나 돌연변이를 일으켜서 유전자의 성질을 바꾸는 일.)

→ 영화 〈가타카〉 보고 한 토론

\# 찬성 : 질병에 걸리지 않은 우월한 유전자 제작

\# 반대(나) : 기본적인 생명 윤리에 어긋남. 돈이 많으면 우월한 유전자 제작 가능, 돈 없으면 열등한 유전자. 사회적으로 큰 파장.

예시 2 >>>

[존엄사 / 안락사 = '찬성']

존엄사 : 무의미한 연명 치료 중단

안락사 : 환자의 고통을 덜어 주기 위해 인위적으로 약물을 투여해 생명 단축해 사망 유도하는 방법

찬성(나) : 연명 치료를 계속한다고 해도 이미 환자가 인간으로서의 권리를 누리지 못하는 상태여서 치료가 무의미하다면 그만하는 게 맞다. but 환자가 연명 치료를 원한다면 환자의 의견을 존중해 주는 게 가장 중요하다.

자주 나오는 면접 질문 총정리 ～～～

생활기록부 말고도 대학 면접관들이 자주 질문하는 빈출 면접 질문들에 대해서도 답변을 확실히 기록해 두고 여러 번 읽어 보며 대비합니다.

의대생 합격 비밀 꿀팁

<<< TIP

대학 면접 빈출 질문

자기소개 / 좌우명 / 마지막으로 하고 싶은 말 / 기억에 남는 봉사활동 / 가장 기억에 남는 학교 활동 / 인상 깊게 읽은 책 3권 / 희망 진로를 ○○으로 하게 된 이유 / 해당 학과에 지원한 동기 / 자신의 장단점 / 성적 상승 및 하락에 대한 이유 / 동아리 활동 중 기억에 남는 활동 / 희망 진로인 ○○이 갖추어야 할 자세나 필요한 역량 등

실전 연습 – 대답 방식과 자세 ~~~~~

이렇게 기본적인 사항들에 대한 정리가 끝나면 실전 연습을 해 봅니다. 실전 연습은 학교 선생님, 가족 또는 주변 친구와 해도 되고, 휴대전화를 고정해 두고 자기 모습을 녹화하면서 확인해 보아도 됩니다. 실전 연습을 할 때 중요한 것은 무조건 '두괄식'으로 대답하는 연습을 하는 것입니다. 질문에 대한 가장 핵심적인 대답을 답변의 가장 첫 부분에 합니다. 두괄식으로 답변한 뒤에는, 그 답변에 대해 더 구체적인 내용을 덧붙여 가면서 설명하면 되고, 너무 길어지거나 너무 짧지 않게 약 1분에서 1분 30초 정도의 시간제한을 두고 답변 연습을 하는 게 좋습니다.

면접 태도도 무척 중요한 부분인데, 무엇보다 '자신감'이 있어야 합니다. 평소 목소리가 작다면 크게 말하는 연습을 하는 것이 좋습니다. 그리고 면접실에 들어오고 나갈 때 예의 바른 인사는 기본입니다. 만약 바로 답변하기 어려운 질문을 받았을 때 "음……, 아……, 그게……, 잠시만요……" 등과 같은 애매하고 자신 없는 표현은 금물입니다. "잠시만 생각할 시간을 가져도 될까요?"와 같은 말로 정중하게 시간을 요청한 다음, 5-10초 내로 생각을 정리한 후 자신감 있는 태도로 아는 범위 내에서 대답하면 됩니다. 이러한 두괄식 대답 방식과 면접의 올바른 자세를 실전 연습으로 진행해 봅니다.

이렇게 총 5단계로 이루어진 면접 준비 방법을 요약해 보면, 생활기록부에서 나올 만한 부분들을 미리 정리한 뒤, 생활기록부 이외의 자주 묻는 면접 질문들에 대한 대답들도 정리하고, 그 후 대답 방식과 자세에 대한 실전 연습을 진행하는 것입니다. 저는 이 5단계 과정으로 면접을 준비했을 때 큰 어려움 없이 면접을 마칠 수 있었습니다. 혹시 독학으로 면접을 준비한다면, 이 방법을 적극적으로 활용하길 바랍니다.

입시 준비에 유용한 블로그와 유튜브 채널은?

저는 따로 컨설팅받지 않고 학교 선생님과의 상담과 스스로 입시 관련 정보를 찾아보면서 입시 준비를 했습니다. 다양한 학습 정보를 얻기 위해서 블로그와 유튜브 채널을 찾아보면서 입시에 대한 지식을 늘려갔습니다. 그중 입시에 대한 지식을 쌓는 데에 많은 도움을 받았던 블로그와 유튜브 채널을 소개합니다.

블로그_장문성의 입시팩토리(blog.naver.com/haoori)

이 블로그는 유명 입시 학원 원장님이 운영한다고 알려져 있습니다. 제가 의대를 비롯한 여러 대학의 입시를 공부하면서 가장 큰 도움을 받은 곳이기도 합니다.

이 블로그의 가장 큰 장점은 대학별, 전형별로 내신 몇 등급까지 합격했는지 '한눈에' 보기 쉽게 구성된 것입니다. 그리고 작년 자료뿐만 아니라 3-4년 전 자료까지 함께 비교할 수 있으며, 대부분 주요 대학의 정보가 게시되어 있습니다. 그리고 대학별뿐만 아니라 의대, 수의대, 한의대, 치대, 교대, 사대 등 테마별로도 살펴볼 수 있어서 자신이 원하는 정보를 빠르고 편하게 찾아볼 수 있습니다. 저는 고3 겨울방학 때부터 매일 밤 자기 전에, 가고 싶은 대학의 '내신 컷/수능 등급 컷/수능 반영 비율' 등을 찾아보고 기록해 두며 입시에 관심을 가지고 눈을 넓혀 나가기 시작했습니다.

블로그_석 소장의 입시 생각

(blog.naver.com/major-research) ~~~~

원서를 쓰기 전에 각 대학은 어떤 인재상을 원하는지 미리 알아봅니다. 저는 중앙대학교에서 추구하는 '탐구형 인재'와 '다빈치형 인재 전형' 중에서 '다빈치형 인재 전형'에 지원했는데, 그 이유는 탐구형과 달리 다빈치형에는 '통합 역량'이라는 평가 항목이 있었기 때문입니다. 저는 수학·과학도 열심히 했지만, 국어·영어 과목에 대한 참여도 높았기 때문에 통합 역량이 포함된 '다빈치형 인재'가 더 유리하다고 생각했습니다.

이렇듯 대학별 인재상에 대한 정보도 알아두면 좋은데, 이 블로그는 인재상을 공부하는 데 많은 도움을 줍니다. 사실 대학별 홈페이지에 다 있는 내용이지만, 일일이 찾아보려면 시간도 많이 들고 번거로운데 이렇게 블로그에서 한번에 살펴볼 수 있으니 정말 유용했습니다.

유튜브_진학티비(@JinhakTV) 〰〰

입시 관련 대기업인 진학사가 직접 운영하는 유튜브 채널입니다. 그래서 입시에 대한 다양한 최신 영상들이 업데이트되며, 특히 실제 '입학사정관'이 학교의 전형을 설명해 주는 영상이나, 진학사 입시 컨설턴트들이 입시에 대한 정보를 알려 주는 영상들이 있어서 많은 도움이 됩니다. 그리고 매년 진학사의 자료를 바탕으로 한 새로운 영상이 업데이트되는 점도 만족스러웠습니다. 또, 대학별로 투어하면서 내부 모습을 보여 주는 영상이나 직접 그 학과를 다니는 선배님들의 이야기를 들어볼 수 있는 영상들이 있어서 실질적인 도움이 되었습니다.

유튜브_피기맘(@piggy-mom) 〰〰

피기맘은 입시만 다루는 채널은 아닙니다. 입시뿐만 아니라 학부모를 대상으로 한 영상이나 지역별 대학을 다루는 등 초중고 학생과 학부모 모두에게 도움이 되는 내용이 있습니다. 보통 두 명이 나와서 대화를 나누는 형식으로 진행되어 조금 지루할 수는 있지만, 도움이 되는 주제와 내용이 많이 나오기 때문에 꼭 한번 살펴보길 추천합니다.

의대생이 추천하는 의학 관련 도서

1. 《의학, 인문으로 치유하다》, 예병일 저, 한국문학사

의학 계열을 지망한다고 해서 수학, 과학만 잘하면 되는 것은 아닙니다.

인문적인 능력, 통합/융합적 역량 역시 강조되는 만큼, 의학을 인문학적

관점에서 다루는 이 책을 읽어 보면 많은 도움이 될 것입니다. 제가 1학년

생활기록부에 활용하기도 한 이 책은 다양한 분야와 관련된 의학을 알아

보며, 무엇보다 인간 삶에 밀착된 의학이란 학문을 좀 더 가깝게 느끼도

록 도와줍니다.

2. 《만약은 없다》, 남궁인 저, 문학동네

이 책은 응급의학과 의사가 의사로 활동하며 겪은 바탕으로 저술한 것으

로 의사라는 직업을 간접적으로 체험할 수 있는 도서입니다. 단순히 공부

만 잘한다고 해서 의사의 길을 선택하는 게 아니라, 강한 정신력과 사명

감 역시 중요하다고 생각하게 합니다.

3. 《나쁜 의사들》, 미셸 시메스 저, 최고나 역, 책담

강제 수용소에서 행해졌던 비인간적인 생체 실험들과 그 실험을 주도한 의사들, 과학자들의 이야기를 담고 있습니다. 이 책을 읽으면서, 의사가 가져야 할 사명감과 윤리 의식에 대해 고민해 보고 의사로서 가져야 할 자세를 정립할 수 있었습니다.

4. 《크리스퍼가 온다》, 제니퍼 다우드나&새뮤얼 스턴버그 저, 김보은 역, 프시케의숲

최근 주목받는 기술 중 하나인 '크리스퍼 유전자 가위'에 대해 다룬 책입니다. 특히 이 책은 이 '크리스퍼 유전자 가위'를 최초로 개발한 다우드나 교수가 직접 쓴 것이고, 그만큼 상세하게 설명되어 있습니다.

5. 《죽음의 격차》, 니시오 하지메 저, 송소영 역, 빈티지하우스

이 책은 법의학자가 20년 동안 약 3,000구의 시신을 부검하면서 경험한 일들을 다루었으며, 특히 죽음에도 격차가 존재한다는 메시지가 마음에 와닿았습니다. 경제적으로 어렵고 사회적으로 고립된 사람들이 더 많이, 쉽게 죽음을 맞이한다는 '죽음의 격차'를 시사하면서, 문제의식을 불러일으키는 점이 인상적이었습니다.

6. 《이것이 헬스케어 빅데이터이다》, 한현욱 저, 클라우드나인

최근 정보화 시대가 되면서, 의학 분야에서도 빅데이터의 이용은 필수적입니다. 이 책은 헬스케어 빅데이터라는 소재를 이용해 실제 의학 분야에서 활용되는 정보 기술들을 다루고 있어서 시사성도 있고 아주 흥미롭게 읽었던 책이었습니다.

7. 《바이러스 폭풍의 시대》, 네이선 울프 저, 강주헌 역, 김영사

독창적 생물학자이자 세계적인 바이러스 전문가인 네이선 울프가 저술했으며, '코로나19'가 있기 전에 메르스, 사스, 에볼라 등 다양한 신종, 변종 바이러스들의 특징과 역사를 알 수 있는 책입니다. 점점 치명적인 신종, 변종 바이러스가 인류를 위협하는 만큼 인류의 미래와 생존 전략에 대해 자세히 알 수 있습니다.

8. 《건강 격차》, 마이클 마멋 저, 김승진 역, 동녘

건강 불평등 연구로 유명한 마이클 마멋의 저서로 질병과 건강이 사회적 여건에도 영향을 받는다는 흥미로운 내용을 다루었습니다. 사람들이 아픈 이유가 가난해서, 의료 시스템이 없어서가 아닌 사회적 여건이 질병의 원인이라고 여기고 그에 따른 의사의 역할을 이야기합니다.

9. 《골든아워》, 이국종 저, 흐름출판사

외상외과 의사 이국종 교수가 실제 병원에서 근무하면서 있었던 일들을 직접 담아낸 책입니다. 저도 이 책을 읽으면서 의사는 단순히 공부만 잘하는 게 아니라 환자를 살려야 한다는 사명감을 가지는 게 중요함을 느꼈고, 이국종 교수의 생각들을 간접적으로 엿볼 수 있어서 좋았습니다. 담담하면서도 구체적으로 풀어낸 이야기들이 흥미롭고 재미있습니다.

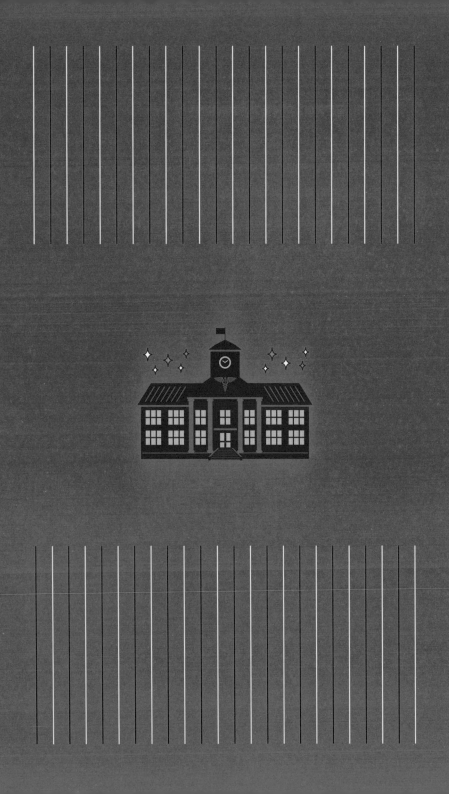

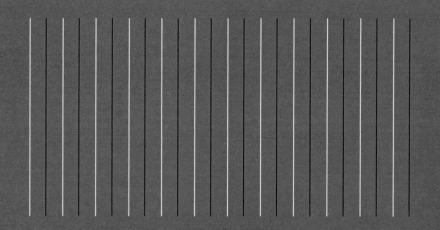

과목별 내신 잡는
특별 노하우

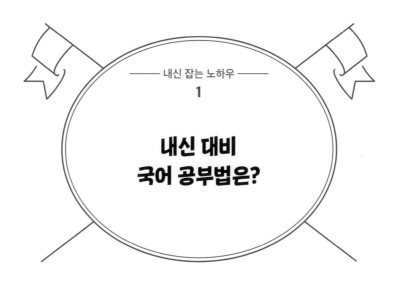

내신 잡는 노하우
1

내신 대비 국어 공부법은?

시험 4-5주 전 ~~~~~~

시험 4-5주 전부터는 '교과서 단권화' 작업에 집중하는 게 좋습니다. 교과서 단권화란 학교 선생님이 설명한 내용, 자습서에 있는 내용 그리고 학원, 과외 또는 인강을 통해 교과서 설명을 들은 내용을 '교과서 한 권'에 총정리하는 것을 말합니다. 저는 총 3가지 색의 펜을 활용해 교과서 단권화를 진행했습니다. 일단 수업 시간에 학교 선생님이 설명하는 내용은 빨간색 펜으로 적어 두었고, 교과서 출판사에 맞는 자습서를 보면서 학교 선생님이 언급하지 않았던 부분들은 파란색 펜으로 필기했습니다. 그리고 저는 교과서를 설명하는 인강도 함께 들으며 자습서에서 언급하지 않은 새로운 내용이 나오면 검은색 볼펜으로 필기하며 단권화했습니다. 교과서 인강을 듣는 것이 필수적인 과정은 아니지만, 저는 단지 눈으로만 공부하는 것보다 인강을 통해 눈과 귀 모두를 활용하면서 공부하는 것이 학습 효율이 더욱 높다고 느껴져서 인강을 활용했습니다. 혼자서 교과서 단권화가 어렵다면 학원, 과외, 인강 등을 모두 활용해 봅니다.

시험 2-3주 전 〰〰

이 시기에는 학교에서 추가로 진도를 나가는 부분들은 계속해서 교과서 단권화를 진행합니다. 그리고 이미 교과서 단권화를 끝낸 부분들은 반복적으로 읽어 보면서 자습서와 평가문제집을 열심히 풀어봅니다. 교과서 단권화를 한 뒤 바로 문제를 푸는 것은 추천하지 않습니다. 문제는 결국 자신이 얼마나 개념을 확실히 이해했는지를 확인하기 위한 수단이기 때문에 최소한 교과서 단권화한 내용을 세 번 이상은 꼼꼼히 읽은 뒤에 자습서와 평가문제집을 푸는 것이 좋습니다.

그리고 자습서와 평가문제집을 풀 때 꼭 해야 할 과정이 있는데, 바로 '서술형 문제'에 대한 대비입니다. 자습서와 평가문제집을 풀면서 '서술형' 문제가 나오면, 별 표시를 해 두고, 답지를 보면서 서술형 답을 그대로 옮겨서 깔끔하게 필기해 둡니다. 이렇게 하는 이유는 자습서와 평가문제집에 나오는 문제는 학교 내신 시험에서도 유사하게 나올 가능성이 있고, 서술형을 따로 연습하는 것보다 이렇게 서술형 문제들을 모아서 대비하는 것이 더욱 효율적이기 때문입니다.

시험 1주 전 〜〜〜

지금까지 자습서와 평가문제집에 표시해 두었던 서술형 문제들을 여러 번 읽어 보고 써 보면서 암기를 시작해야 합니다. 자습서와 평가문제집을 풀면서 틀렸던 문제들 위주로 점검해 보는 과정도 필요합니다. 그리고 열심히 교과서 단권화해 둔 내용을 최소 5회 이상 읽고, 틈틈이 계속 넘겨 보면서 익숙해지는 것이 중요합니다.

그리고 이와 함께 '실전 연습'을 꼭 해야 합니다. '족보닷컴www.zocbo.com'을 비롯한 문제 사이트에서 시험 범위에 해당하는 25-30문제 정도를 출력하고, 인터넷에서 별도로 OMR카드도 구매하여 실제 시험 시간인 50분을 똑같이 재고 실전처럼 풀어 보는 연습을 최소 2회 이상은 해 보는 것을 추천합니다. 국어는 평소에 시간제한 없이 문제를 푸는 경우가 많기에 시험 1주 전 만큼은 시간제한을 두고 문제를 푸는 연습을 하면, 실제 시험에서도 많은 도움이 됩니다.

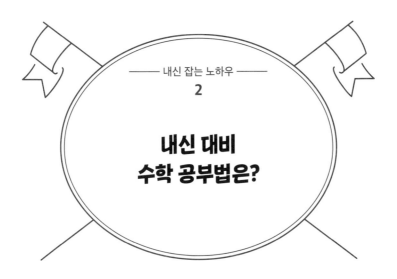

내신 잡는 노하우
2

내신 대비
수학 공부법은?

　　수학 내신 공부는 교과서를 포함해 총 5권의 문제집을 활용해 진행합니다. 교과서, 유형별 문제집, 모의고사 기출문제집, 심화 문제집 그리고 학교 부교재가 있다면 부교재까지 총 5권의 교재입니다. 이러한 교재들은 한 권당 최소 4회독 하는 것을 추천합니다. 수학 문제집을 4회독 하는 방법은 먼저 1회독 할 때는 책이 아닌 공책에 문제를 풀고 채점합니다. 그리고 2회독 할 때는 틀린 문제뿐만이 아닌 모든 문제를 책에 풉니다. 그 후 3회독부터는 틀린 문제 위주로 다시 풀어 보면서 한 권의 교재에 실린 문제들을 모두 완벽히 풀수 있을 만큼 공부하면 됩니다. 그리고 시험 기간에 개념부터 공부하기에는 시간적 여유가 충분하지 않기 때문에 방학이니 시험 기간이 아닐 때 학원, 과외 또는 인강을 활용하여 개념을 충분히 익혀 두는 것이 좋습니다.

수학 공부를 할 때 '오답 노트'를 꼭 만들어야 하는지 궁금해하는 학생이 많습니다. 저는 굳이 수학 오답 노트를 만들 필요는 없다고 생각합니다. 차라리 오답 노트를 따로 만드는 데 시간을 들이기보다는, 틀린 문제를 여러 번 풀면서 그 문제를 이해하는 데 더 집중하는 게 효율적입니다. 이미 오답 노트를 만드는 것이 습관이 되어 있다면 상관없겠지만, 결국 오답 노트의 목적은 틀린 문제를 정확히 이해하는 것이기 때문에 꼭 오답 노트가 아니더라도 틀린 문제를 여러 번 반복해서 푸는 것으로 충분합니다.

수학 1등급을 위해서는 위의 5권 이외의 훨씬 더 많은 문제집을 소화해야 한다고 생각할 수 있습니다. 하지만 수학 문제집은 많이 푼다고 좋은 것이 아니라, 한 권에 있는 문제들을 모두 정확히 이해하고 풀어 내는 연습을 하는 것이 더욱 중요합니다. 그러니 이 5권의 책에 실린 문제들만 모두 소화한다면 충분히 내신에서 1등급을 받을 수 있습니다. 지금부터는 시험 5주 전부터 1주 전까지 시기별로 어떤 문제집을 푸는 것이 좋을지 알아봅니다.

시험 4-5주 전 ～～～

예상 시험 범위까지 개념 공부는 완벽히 끝내야 하고, 교과서와 학교 부교재를 1-2회독까지 완료합니다.

시험 3주 전 〰〰〰

유형별 문제집과 모의고사 기출문제집을 1-2회독 하면서 다양한 유형을 접하고, 실제 모의고사 기출문제에 어떤 식으로 출제되었는지 공부합니다.

시험 2주 전 〰〰〰

심화 문제집을 1-2회독 하면서 내신에 나올 수 있는 어려운 형태의 문제들에 대비합니다. 이와 함께 교과서와 학교 부교재도 3-4회독 하면서 복습도 함께 진행합니다.

시험 1주 전 〰〰〰

유형별 문제집과 모의고사 기출문제집 그리고 심화 문제집에 대한 3-4회독 과정을 진행합니다. 그리고 이와 함께, 수학은 다른 과목보다 시간 압박이 가장 심한 과목이기 때문에 50분 내로 문제를 풀어내는 연습을 하는 것이 매우 중요합니다. 그렇기에 '족보닷컴' 같은 문제 자료 사이트를 활용하여 실제 시험 환경과 같게 설정한 상태로 최소 4회 정도는 문제 푸는 연습을 진행하며 실전 감각을 끌어올려 줍니다.

내신 잡는 노하우
3

내신 대비
영어 공부법은?

영어 과목은 내신 기간뿐만 아니라 평소에도 열심히 해두는 것이 중요합니다. 내신 기간에는 교과서와 부교재의 본문 위주로 공부해야 해서 영어 실력 자체를 키울 시간이 부족합니다. 그렇기에 방학이나 내신 기간이 아닐 때는 영단어 암기를 매일 1-2과 분량씩 꾸준히 하고, 영문법에 관한 공부를 진행하면서 기본 실력을 잘 쌓는 것이 좋습니다. 그리고 내신 기간이 되면 교과서와 부교재에 대한 꼼꼼한 정리가 필요합니다. 지금부터 시기별로 어떠한 공부를 하는 것이 좋을지를 정리해 보겠습니다.

시험 4-5주 전 ～～～

이 시기에는 시험 범위에 해당하는 교과서 본문과 부교재에 관한 공부에 집중합니다. 영어 교과서 본문은 국어 내신 시험을 준비했던 것과 같은 방법입니다. 일단 학교 선생님의 수업을 들으면서 수업 내용은 빨간색으로 필기하고, 자습서를 보면서 학교 선생님이 언급하지 않았던 내용은 파란색으로 적습니다. 그리고 교과서 설명 인강을 보면서 새롭게 나오는 내용은 검은색으로 적어 총 3가지 색으로 교과서 본문에 대한 단권화를 진행하면 됩니다. 그리고 대부분 학교에서는 교과서 이외에도 '부교재'를 한 권씩 지정하여

의대생 합격 비밀 꿀팁

<<< TIP

부교재 5단계 공부법

(1) 문제를 풀고 채점하기

(2) 답지를 보면서 '모르는 단어' 정리하기(파란색 펜 활용)

(3) 처음부터 한 문장씩 해석하면서 답지와 비교해 보고, 그 과정에서 각 문장의 '주어/동사/목적어/보어' 등의 핵심 문장 성분을 각각 'S/V/O/C'로 표시하면서 문장 구조 파악하기(초록색 펜 활용)

(4) 분법적으로 중요한 부분 표시하기(빨간색 펜 활용)

ex) 수식해 주는 부분을 화살표로 표시(관계대명사, 관계부사, 분사 등), 주어가 긴 부분에 대한 동사 표시(단수, 복수를 물어보는 문제로 출제)

(4) 답지 및 해석을 참고하여 이 글의 핵심 주제를 문제 위에 한 줄로 적고, 글의 주요 흐름을 구조화하여 핵심 내용 정리하기(검은색 펜 활용)

함께 공부하는데, 부교재는 총 5단계의 방법을 거쳐 공부하는 것을 추천합니다.

시험 2-3주 전 〜〜〜

시험 2-3주 전에는 학교에서 새로 나가는 진도에 대해서도 동일하게 교과서 단권화 및 부교재 정리를 합니다. 그리고 이제 교과서와 부교재를 정리한 것들을 2-3회독 진행한 뒤, 다양한 변형 문제들을 풀어 보면서 내용에 익숙해집니다. 변형 문제는 학원이나 과외를 통해서 제공받을 수 있지만, 독학일 경우는 '족보닷컴, 너른터, EXAM4YOU, 와츄노, 기출비, 황인영영어카페, 올바른선생님연합' 등 다양한 내신 영어 변형 문제 사이트들을 활용하여 출력해서 풀어 봅니다. 변형 문제는 본문에 빈칸을 뚫어 놓고 채우는 유형이나 어법, 어휘 포인트들을 양자택일 형태로 선택하는 유형을 먼저 풀어 보는 것이 좋으며, 그 이후에는 다양한 변형 문제들을 풀어 보면 됩니다. 그리고 영어 서술형 문제 대비를 위하여 변형 문제 중 '서술형 문제'가 나오면 따로 별 표시를 해두고 답지를 참고해서 직접 답을 옮겨 쓰면서 깔끔하게 정리해 둡니다.

시험 1주 전 〜〜〜

시험 1주 전에는 교과서, 부교재를 최소 5회독을 목표로 여러 번 반복해서 공부하고, 체크했던 서술형 문제들을 여러 번 쓰면서 암기합니다. 그리고 다른 과목들과 마찬가지로 영어 역시 25-30문제 정도 범위에 맞게 변형 문제들을 출력하여 직접 구매한 OMR카드와 함께 실제 시험처럼 시간을 재고, 2-3회 정도 실전 연습을 진행합니다.

그리고 학교에 따라, 영어 내신 시험에 외부 지문을 출제하여 '모의고사 형태'의 문제로 변별력을 확인하는 경우가 많습니다. 만약 내신 시험에서 외부 지문이 출제된다고 하면, 〈자이스토리〉나 〈마더텅〉 같은 유형별 기출문제집을 구매하여 유형별로 문제를 풀어보고, 풀이 방법을 정리하면 도움이 될 것입니다.

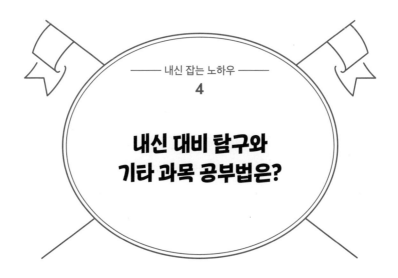

내신 대비 탐구와 기타 과목 공부법은?

사회와 과학을 포함한 탐구 과목은 학년별로 나누어 정리했습니다.

고등학교 1학년

자습서, 평가문제집, 기출문제집 총 3권으로 공부합니다. 탐구 과목 공부는 결국 개념에 대한 명확한 이해와 문제 풀이가 전부이기 때문에 개념과 문제 풀이에 초점을 맞추어 진행합니다. 탐구의 개념 암기는 제2장에서 언급했던 3가지 개념 암기법인 백지 복습법, 큰 글씨법, 녹음법 등을 활용해서 암기하면 됩니다. 그리고 탐구 과목은 시험 4-5주 전에는 예상 시험 범위까지 개념 공부를 모두 끝냅니다. 개념 공부를 한 부분에 대해서는 자습서를 풀면서 문제 풀이를 진행합니다. 그리고 시험 2-3주 전에는 개념을 2-3회독 하면서 암기하고, 평가문제집과 기출문제집을 차례로 풀면서 실력을 쌓아갑니다. 시험을 1주 앞둔 시점부터는 그동안 했던 문제집에서 틀린 문제 위주로 복습을 진행하고, 문제 자료 사이트를 통해 1-2회 정도 문제를 출력해 실제 시간에 맞추어 실전 연습을 진행합니다.

고등학교 1학년 탐구 내신은 누가 얼마나 더 학교 수업을 열심히 듣고, 개념을 얼마나 더 꼼꼼히 외웠는지의 싸움이기 때문에 개념 암기와 수업 내용의 꼼꼼한 필기 그리고 이를 확인하기 위한 문제 풀이에만 집중하면 됩니다. 하지만 시험 2-3주 전부터 탐구 공부를 시작하면 개념을 깊이 있게 암기할 수 있는 시간적인 여유가 부족하니 적어도 시험 4-5주 전부터 개념 공부를 시작하는 것이 좋습니다.

고등학교 2/3학년 〜〜〜

저는 이 시기에 개념서, 기출문제집, EBS 수능특강, EBS 수능완성 총 4권으로 공부했습니다. 고등학교 2, 3학년 시기에 배우는 내용들은 수능 과목에도 포함되는 과목들이기 때문에 킬러 유형에 대한 문제 풀이 기술을 많이 연구해야 합니다. 실제로 내신에서도 수능, 모의고사 기출문제들을 변형하여 내는 경우도 많습니다. 그렇기에 단순히 고2, 고3 시기의 탐구 내신 공부는 '개념 공부'만 열심히 한다고 해서 잘 풀기는 어렵습니다.

이 시기에는 수능 개념 인강을 통해 개념 공부를 시험 4-5주 전까지 하는 것을 추천합니다. 수능 개념 인강은 단순한 개념만 가르치는 것이 아니라, 그 개념이 실전 문제 풀이에 어떻게 적용되는지 알려주는 데 초점이 맞추어졌기 때문에 내신 공부에 많은 도움이 됩니다. 그리고 시험 3주 전에는 기출문제집 풀이에 집중하면서 다양한 모의고사 유형들을 접하면서 내신 대비를 진행합니다. 그 후 시험 2주 전에는 EBS 교재들로 좀 더 다양한 형태의 문제를 공부하고, 시험 1주 전에는 개념 복습 및 틀린 문제 위주의 풀이를 진행하며, 시간을 재고 푸는 실전 연습도 다른 과목과 동일하게 진행합니다.

한국사, 정보, 기술·가정, 한문 등 기타 과목들은 시험 4-5주 전부터 시작하기보다는 평소에는 수업을 열심히 들으면서 복습도 틈틈이 하고, 시험 3주 전부터 본격적인 시험공부를 시작합니다. 시험공부는 일단 수업 때 열심히 필기한 내용을 바탕으로 개념 정리를 열심히 한 후 암기합니다. 그리고 시험 1-2주 전에는 자습서와 평가문제집을 구매해 함께 풀어 보면서 어떤 부분이 문제로 나올지를 유추해 봅니다. 그를 통해 개념을 반복적으로 암기하면서 익숙해지는 시간을 가집니다.

그리고 한 과목을 가르치는 선생님이 여러 명이라면 꼭 다른 선생님에게 수업을 듣는 반 친구의 교과서를 빌려서 어떤 것들을 수업했는지 확인하고, 자신의 교과서에 초록색 펜으로 함께 적어 둡니다. 또한 교과서뿐만 아니라 자습서, 평가문제집 등 다양한 책을 보다 보면, 같은 내용에 대해서 '설명 방식'의 차이가 있는 부분을 발견할 수 있습니다. 분명히 교과서를 보면 맞는 내용인데, 어떤 책에는 다르게 적힌 경우도 있습니다. 만약 조금이라도 헷갈리는 개념이나 문제가 있다면, 주변 친구들과 토론하는 데 시간을 버리기보다는 곧바로 담당 선생님께 물어보는 것이 좋습니다. 선생님께서 설명하는 방식이 내신 시험공부의 기준이 되기 때문입니다.

의대생이 전하는 공부 자극 문구

매일 자기와의 싸움에 지쳐갈 때쯤, 자신을 다잡기 위해 여러 문구를 책상 앞에 붙여 두었습니다. 이런 문구들을 보며 최대한 힘을 내고 지치지 않게 자신을 다잡을 수 있었습니다. 제가 전하는 이야기들이 응원이 될 수도, 질책이 될 때도 있지만, 많은 학생에게 도움이 되었으면 좋겠습니다.

1 ——

왜 남들보다 늦게 공부를 시작하고,

남들과 똑같은 노력만 하려고 하나요?

공부를 늦게 시작했으니, 당연히 갑자기 열심히 공부한다고 해도

결과는 바로 좋아질 수 없습니다.

남들보다 더 치열하게 공부하세요.

남들보다 더 오래 앉아서 공부하세요.

고작 그 정도 버틸 힘도 없으면,

나보다 먼저 공부를 시작한 학생들을 절대 따라잡을 수 없을 거예요.

공부가 그렇게 쉬운 거였으면 누구나 성공하겠죠.

공부를 늦게 시작했으면 어렵다고 불평하지 말고 묵묵히 공부하세요.

분명 좋은 결과가 있을 거예요.

2 ——

공부가 힘들 때면, 주변 사람들을 생각했어요.

'우리 학교에서 IN 서울 의대는 힘들어.'라고 단정 지으며

포기하라고 했던 선생님을 생각하면서 '내가 어떻게 해서든 합격해서

당당히 증명해야지'라고 생각했어요.

그리고 늘 묵묵히 저를 지원해 주고 끝없는 응원해 주는 가족들을

생각하면서, '정말 내가 멋지게 꿈을 이뤄서 기쁘게 해 주고 싶다'라는

생각으로 공부했어요.

나를 무시하는 사람들을 생각해 보고,

나를 사랑하는 사람들을 생각해 보세요.

이렇듯 이 세상에 '공부를 해야 할 이유'는 너무나도 많아요.

단지 지금 공부를 하지 않을 뿐이죠.

그러니 이제부터 공부를 열심히 하세요.

갑자기 오른 여러분의 성적에 당황하는 그들의 눈빛을 상상해 보세요.

사람들에게 자신의 능력을 당당히 증명해 보여요.

3 ——

여러분은 왜 그렇게 여유롭나요?

유튜브, 인스타, 넷플릭스, 수험생 커뮤니티까지, 참 할 일이 많네요.

저는 수험생 때 공부를 아무리 해도 끝이 없어서,

혹시 내가 모르는 게 있을까 불안해서, 공부를 놓을 수가 없었습니다.

하루에 30분씩 유튜브 보고, 커뮤니티 보면서 얻는 게 많을까요?

아니면 그 시간에 영어 단어 외우는 게 나을까요?

하루 30분이면, 1년에 180시간입니다.

성적이 안 나오면, 지금 바로 개인 휴식 시간은 줄이고

공부 시간을 늘려서 공부에만 집중하세요.

나중에 원서 쓸 때 후회하고 싶지 않다면 말이에요!

4 ——

"내신 성적이 잘 안 나오면 정시로 가면 되지요."

하고 쉽게 이야기하는 학생들이 있어요.

하지만 '정시'는 쉽나요? 학교에 다니면서 홀로 수능 준비를 한다는 건

굉장히 외롭고 힘든 길이에요.

주변 친구들이 수시로 6번의 기회를 받을 때,

내신 시험이 끝난 기쁨을 누릴 때, 여러분은 묵묵히 수능 공부를 하면서,

모든 걸 결정하는 오직 '단 한 번의 시험'에 매진해야 합니다.

과연 쉬운 일은 아니에요.

내신을 포기하거나 중요하지 않게 여기는 가벼운 생각으로

내신 시험을 보면 당연히 결과는 좋지 않을 거예요.

그리고 그런 자세는 정시에도 집중하기 힘들게 합니다.

그러니 아직 내신의 기회가 있는 고등학생들은 안일한 생각을 버리고,

다음 내신 시험 때는 무조건 잘 보겠다고 마음을 다잡으세요.

그래야 정시든 수시든 성공합니다.

5 ⎯⎯

공부를 잘하려면, '공부의 목표'를 확실히 설정해 보세요.

간혹 '아무런 목적 없이', '명확한 목표 없이'

그냥 단순히 '해야 하니까' 공부하는 친구들이 많아요.

그러면 공부는 재미가 없고, 쉽게 포기하고 싶어지는 순간도 오고,

번아웃도 쉽게 와요.

저는 '의대'에 무조건 가야겠다는 목표가 있었어요.

그래서 고등학교 3년 동안 치열한 내신 시험, 그리고 그 속에서

다양한 의학 관련 활동과 수능 준비까지 하며 당연히 힘들었지만,

보람되게 해냈습니다.

제 꿈이 있었기에, 제 꿈으로 가는 과정이었기에,

그 과정이 아무리 힘들더라도

다시 용기를 내고 끝까지 완주할 수 있었어요.

고등학교 3년이라는 시간,

그리고 긴 재수의 시간을 잘 보내는 건 쉽지 않은 일이에요.

좀 더 공부에 의지를 다지고 치열하게 공부해요.

그래야 공부가 힘들어도 포기하지 않아요.

목표를 정해 보세요.

그러면 '공부'는 그 목표를 위한 가치 있는 소중한 과정이 될 거예요.

분명 지금과 다르게 보일 거예요.

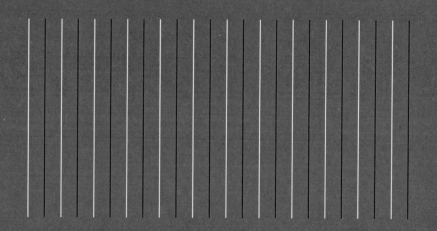

8장

과목별 수능 잡는
특별 노하우

수능 잡는 노하우
1

수능 1년
공부 계획 가이드라인

　수능 준비를 고2 때부터 하는 학생들도 있지만, 보통은 예비 고3 겨울방학 때부터 약 1년을 계획하고 공부를 시작합니다. 이 과정에서 장기적인 1년 계획 없이 단기적인 계획만 세우다 보면, 어느 순간 지금 공부를 잘하고 있는 게 맞는지, 너무 진도가 빠르거나 느린 건 아닌지에 대해 객관적으로 판단할 기준을 마련할 수 없습니다. 1년이라는 긴 시간 동안 수능 공부를 하면서 시행착오를 겪지 않고 방황하지 않으려면 장기적인 1년 학습 계획이 필요합니다. 이를 위해 지금부터 수능 1년 공부를 위한 가이드라인을 시기별로 제시합니다. 최소한으로 해야 할 공부의 선을 정해 두었으니, 제가 실천한

1년 가이드라인을 참고하면서 자신만의 공부 계획을 세우면 좀 더 객관적이고 현실성 있는 장기 계획을 세울 수 있습니다.

12~3월 : 개념 공부 〜〜〜

12월부터 3월까지는 개념 공부에 집중하는 시기입니다. 어떤 과목이든, 가장 기본이자 핵심은 개념입니다. 이 시기에 개념을 잘 잡아두지 않으면 그 이후에 아무리 열심히 공부해도 모래성을 쌓는 것처럼 의미 없는 공부가 됩니다.

국어 과목은 문학과 비문학 지문을 읽고 해석하는 방법부터 공부하고, 문법을 선택했다면 개념 공부 역시 이 시기에 진행해야 합니다. 그리고 수학 과목은 고2 내신을 거치며 이미 개념 공부를 했더라도 다시 한번 개념을 짚고 넘어가는 것이 좋습니다. 영어 과목은 바로 문제 풀이를 진행하기보다는, 영어 단어 암기와 해석, 문법등 기본적인 사항을 깊이 있게 공부하는 것이 좋습니다. 문제 풀이를 할 시간은 나중에도 충분하기 때문에 이 시기는 개념 공부에 집중합니다. 그리고 탐구 과목 역시 개념에 대한 명확한 학습을 진행하면 됩니다.

4~6월 : 기출 공부 〜〜〜

4월부터 6월까지는 개념을 열심히 복습하면서 기출문제에 관한 공부를 진행하는 시기입니다. 그전까지의 수능에 어떤 문제가 나왔는지 살펴보는 것은 정말 중요한 과정 중 하나입니다. 수능이

주로 어떤 부분에서 출제되는지에 관해 공부하다 보면, 여러 과목별 공부 방향을 설정하는 데 도움이 됩니다. 국어, 수학, 영어, 탐구 모두 기출문제 공부에 집중하는 시간을 가지고, 이와 함께 개념에 대한 복습을 진행하면 됩니다.

7~8월 : 다양한 N제 풀이 〰〰

7월부터 8월까지는 개념 및 기출문제의 복습과 함께 다양한 N제(자작 문제)들을 풀면서 낯선 문제들을 접하고 풀어 내는 능력을 기르는 연습을 합니다. 실제로 수능 당일 보게 될 문제도 그 이전에는 본 적이 없는 새로운 문제이므로 낯선 문제를 보고 풀어내는 훈련이 정말 중요합니다. 이 시기에는 개념, 기출문제의 복습도 중요하지만, N제를 통한 낯선 문제 풀이 경험을 쌓아가는 데 집중합니다. N제는 EBS 교재를 활용하거나, 그게 아니라면 시중의 교재들을 풀어 보아도 됩니다.

9~10월 : N제 + 실전 모의고사 풀이 〰〰

9월부터 10월까지 N제는 계속해서 풀되, 실전 모의고사를 매주 최소 1-2회씩은 꾸준히 풀어 주는 것이 좋습니다. 실전 모의고사란 수능 시험지와 유사하게 구성된 모의고사로, 수능 때 주어지는 시간과 동일하게 시간을 재고 OMR 카드 마킹까지 실전처럼 해보는 것을 말합니다. 이러한 실전 경험은 어떤 부분에서 실력이 부족한지를 객관적으로 파악할 수 있게 해주고, 시간 관리를 연습할 수 있도록 돕기에 이 시기에 필수적인 과정입니다. 그리고 개념 및 기출 문제에 대한 꾸준한 복습도 필요합니다.

11월~수능 전날 : 총정리 + 단권화 노트 만들기 〰〰〰

11월부터 수능 전날까지는 그동안 했던 개념, 기출, N제, 실전 모의고사 등을 넘겨 보면서 개념을 다시 암기하고, 틀린 문제들 위주로 다시 풀어 보면서 총정리하는 시간을 갖습니다. 그리고 이때부터는 수능 당일에 들고 갈 '단권화 메모'를 만드는 것이 좋습니다. 단권화 메모란 평소에 헷갈렸던 개념이나 어려워했던 개념들을 모아 과목별로 종이 한 장에 정리하는 것입니다. 수능을 보기 전 쉬는 시간에 10-20분 정도 빠르게 넘겨볼 수 있는 메모를 만들어 보면서 총정리하는 시간을 가집니다.

내신과 수능 공부의 병행 방법은?

수시 전형을 준비하는 학생들은 어떻게 내신을 준비하면서 수능 공부를 병행할 수 있는지 많이 고민합니다. 일단 내신과 수능은 별개의 공부라고 생각하는 학생들도 많지만, 본질적으로 같은 맥락에 있는 공부입니다. 지금부터 과목별로 내신과 수능 공부를 어떻게 병행하면 되는지 정리해 보았습니다.

국어 ～～～

국어는 보통 내신 시험을 준비하면서 문법 개념도 접하고, 다양한 문학 작품과 비문학 글들을 읽게 됩니다. 이미 이러한 내신 공부가 수능에서 필요한 영역을 공부하고 있는 것입니다. 그러니 내신 공부를 열심히 하는 것이 결국 수능 공부를 하는 것과 같습니다. 이에 조금 더 추가한다면, 내신 기간이 아닐 때는 자신의 학년에 맞는 연도별 모의고사 기출문제집을 구매해서 매주 1-2회씩 꾸준히 문제를 풀어 보고 오답을 정리하는 시간을 가지면 내신과 수능 공부를 효과적으로 병행할 수 있습니다.

수학 〰〰〰

수학은 내신 시험을 준비하면서 해당 과목의 개념들을 배우고 기본적인 문제 풀이를 진행합니다. 이러한 개념 및 문제 풀이 공부는 결국 수능 공부에서도 활용됩니다. 그리고 내신 시험을 준비하면서 해당 과목의 기출문제집을 함께 풀면 이는 수능 공부의 연장선에 있기에 별도의 병행 없이 내신 공부만 잘 소화해도 수능 수학 공부를 진행하는 데 큰 무리가 없습니다. 다만 좀 더 추가적인 수능 수학 공부를 병행하고 싶다면, 수능 대비로 나온 N제를 구매하여 낯선 문제들을 풀어 보는 연습을 하면 좋습니다.

영어 〰〰〰

영어는 내신 시험을 준비하는 과정에서 영어로 된 다양한 글들을 읽으면서 자연스레 해석 능력이 향상됩니다. 이는 수능 영어 공부에도 당연히 도움이 됩니다. 이러한 내신 공부와 수능 공부를 병행하려면, 방학이나 비 내신 기간을 활용해서 기출문제집을 통해 유형별 기출문제를 풀어 보고, 풀이 방법을 정리해 보거나 영단어를 꾸준히 암기하는 것이 수능 공부에 도움이 됩니다.

탐구 〰️

탐구는 결국 가장 중요한 것이 '개념'인 만큼, 오로지 내신 공부에 집중하다 보면 자연스레 수능 공부로 이어집니다. 여기에 뭔가 더 추가적인 수능 공부를 병행하고 싶다면, 탐구 역시 수학처럼 수능 대비로 나온 N제를 직접 구매하여 기출문제 이외의 낯선 문제들을 접해 보는 것이 좋습니다.

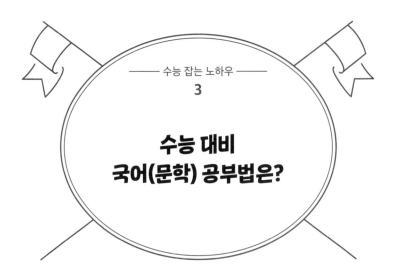

수능 대비 국어(문학) 공부법은?

문학은 단순히 개념을 암기하는 방법으로 공부해서는 안 됩니다. 실제 시험에서 낯선 문학 작품을 봤을 때 그 작품을 이해하고, 문제를 풀어낼 수 있어야 합니다. 대다수 학생은 문학을 공부할 때 '작품'에 초점을 맞추어 공부합니다. 그래서 하나의 작품을 꼼꼼히 분석하고 이해하려고 합니다. 물론, 한 작품에 대한 깊이 있는 공부도 중요합니다. 하지만 문학 작품을 공부할 때는 각각의 작품과 함께 '작가 위주'의 공부도 필요합니다. 아무리 한 작품을 열심히 공부했더라도, 실제 수능 시험에서는 공부한 작품이 나올 확률보다 낯선 작품이 나올 가능성이 높기 때문입니다. 하지만 작가별로 작품을 정리한다면, 낯선 작품이 나오더라도 여러분이 공부했던 작가라면 대략적인 흐름을 예측할 수 있습니다.

가장 대표적인 예시가 이육사 시인과 윤동주 시인입니다. 여러분이 문학 공부를 할 때, 이 두 시인의 '모든 작품'을 다 읽어 볼 시간적 여유는 없습니다. 하지만 '작가 위주'의 공부하면, 다 읽어 보지 않고도 작품의 내용을 유추할 수 있습니다. 이육사 시인은 일제 강점기 시대에 '적극적인 저항'을 하며, 광복을 기원하는 시를 주로 썼고, 반면 윤동주 시인은 일제 강점기 시대에 '소극적인 저항'을 하며 이에 대한 부끄러움과 광복을 향한 희망을 주로 시를 통해 표현했습니다. 이러한 특징을 알고 있다면, 이육사 시인의 〈청포도〉라는 시에서 '내가 바라는 손님'이라는 시어를 보면서, 이 시어가 '광복'을 가리킨다는 것을 유추할 수 있습니다. 그리고 윤동주 시인의 〈쉽게 씌여진 시〉라는 시에서 '어둠을 조금 내몰고'라는 시구를 보면, 어둠은 일제 강점기라는 부정적 상황을 뜻하고, 광복을 바라고 있는 시인의 내면이라는 것을 유추할 수 있습니다.

이런 식으로 문학 공부를 할 때 해당 작가가 어떤 시대에 살았고, 작가가 쓴 시들이 어떠한 공통된 특징이 있는지 함께 정리한다면, 실제 시험에서 낯선 작품을 만나더라도 좀 더 쉽게 이해할 수 있고, 문학을 바라보는 관점이 넓어질 것입니다. 그러니 앞으로는 문학 작품을 공부하면서 작가에 대한 정보도 검색해 보고 간단히 정리하는 습관을 들인다면 분명 문학 실력 향상에 많은 도움이 될 것입니다.

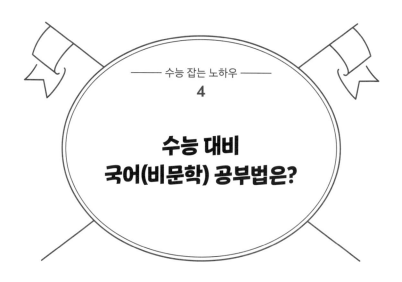

수능 대비
국어(비문학) 공부법은?

국어는 크게 문법, 문학, 비문학 3가지 분야로 나눌 수 있습니다. 문법은 단순 암기이고, 문학은 작가 위주의 공부였다면, 비문학은 과학·기술·인문·경제·법·철학 등 다양한 소재의 지문들을 읽고 문제를 푸는 것입니다. 내신과 수능 시험 모두에서 출제가 되며, 학생들이 가장 어려워하는 분야이기도 합니다. 그래서 많은 학생이 인강을 듣고 학원에 다니면서, 비문학 공부를 열심히 합니다. 하지만 비문학 공부의 본질은 단 하나입니다. 바로 '읽고 반응하라'입니다. 비문학 지문을 읽을 때 가장 중요한 것은 지문의 전체적인 내용을 이해하면서, 지문 속에 숨겨진 표현을 보고 적절히 반응하는 것입니다. 비문학에서 주로 시험에 나오는 대표적인 문제 유형은 '나열', '문제점-해결책' 구조, '원인-결과' 구조입니다. 그리고 이러한 부분은 지문을 읽으면서 적절히 반응한다면 쉽게 찾아낼 수 있습니다. 대표적인 예시를 들어보겠습니다.

첫 번째 예시로, 지문에서 '첫째는, 첫 번째는' 등의 표현이 나오는 경우입니다. 아무 생각 없이 글을 읽으면 지나칠 수 있지만 반응한다면, 그다음 부분에서 두 번째, 세 번째 이야기도 언급이 될 것임을, 즉 나열하는 구조라는 것을 예측할 수 있습니다. 나열 구조라는 것을 파악하는 순간, 글을 읽는 것이 한결 더 수월해집니다. 두 번째 예시로, 지문에서 '문제점'이 나오는 경우입니다. 반응하며 글을 읽는다면, 문제점이 나왔을 때 이 문제점에 대한 '해결책'이 나올 것이며, 해결책이 중요한 부분이 될 것을 생각할 수 있습니다. 세 번째 예시로, '왜냐하면, ~ 때문이다' 등의 원인 표현이 나오거나 '그래서, 그러므로' 등의 결과 표현이 나오면 '원인-결과 구조가 나오는 부분임을 알 수 있습니다.

이처럼 비문학 공부의 본질은 글을 잘 읽는 것, 즉 글을 읽고 반응하는 것입니다. 수능 또는 내신을 위해 진행하는 모든 비문학 공부는 바로 이 반응하기를 좀 더 빠르고 체계적으로 하는 방법을 익히는 것입니다. 비문학이 어렵다 보니 글을 읽지 않고도 답을 찾는 방법들을 알고 싶어 하는 등 편법을 바라는 학생들도 있지만 비문학 공부의 핵심을 잘 파악하고 연습한다면 흔들림 없이 시험에 대비할 수 있을 것입니다.

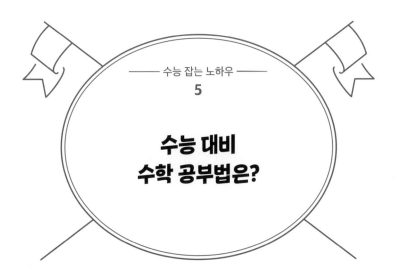

수능 대비 수학 공부법은?

학생들이 가장 어려워하는 대표적인 과목은 '수능 수학'입니다. 많은 학생이 학원, 과외, 인강 등 다양한 방식을 활용해 공부하겠지만, 어떠한 자세로 공부하느냐에 따라 공부의 효율이 달라질 수 있기에 수능 수학을 대하는 올바른 공부 자세에 대해 정리해 보았습니다.

'개념 공부'가 가장 중요 〜〜〜

수능 수학을 공부할 때 많은 학생이 개념을 한 번만 공부한 다음에 바로 기출문제를 풀거나 문제를 좀 더 빠르게 풀 수 있는 기술에 의존해서 공부하려는 경향이 있습니다. 하지만 그러한 기술들을 아무리 공부하더라도 본질인 개념이 약하면 결국 실전에서 제대로 문제를 풀지 못하게 됩니다. 물론 수능 수학이 해야 할 공부량도 많고 어렵지만, 이를 제대로 소화하기 위해서는 개념 공부에 충분한 시간을 투자하면 좋겠습니다.

'킬러 문제'도 풀 수 있는 문제 〰️

수능 수학의 최고난도 킬러 문제라고 하면, 학생들이 으레 겁을 먹고 접근도 하지 못한 채 그냥 넘기는 경우가 많습니다. 하지만 아무리 킬러 문제가 나오더라도, 결코 실전에서 못 풀 문제는 아닙니다. 결국 수능은 고등학교 교과과정 내에서 출제되기 때문에 킬러 문제도 우리가 배운 개념으로 풀 수 있는 것입니다.

그렇다면 왜 킬러 문제는 다른 문제보다 더 어렵게 느껴지는 것일까요? 바로 하나의 개념이 아닌, 여러 개념이 얽혀 있기 때문입니다. 그렇기에 여러분은 킬러 문제를 대할 때, 단지 어려운 문제를 푼다는 생각으로 접근하는 것보다는 문제 속 조건들을 잘 살피면서 여러 개념을 하나씩 찾아보겠다는 마음가짐으로 접근하는 것이 좋습니다. 즉 킬러 문제 풀이는 하나의 문제 속에 포함한 여러 개념을 하나씩 풀어가는 과정이라고 할 수 있습니다.

시간 내로 푸는 능력이 중요 〰️

실전에서 수능 수학 문제를 풀 때는 시간 내로 문제를 풀어내는 능력이 중요합니다. 한 문제가 안 풀린다고 해서 계속 그 문제에 머물고 있으면, 다른 문제들을 풀 시간이 줄어듭니다. 일반적인 문제는 한 문제 당 3-4분 정도 고민했는데도 전혀 시작을 못 했다면 넘어가고, 킬러 문제는 한 문제당 7분 정도 고민했는데도 전혀 시작을 못 했다면 과감히 넘어가는 것이 좋습니다. 그리고 이러한 능력을 위해서 평소에 수학 문제를 풀 때도 한 문제당 시간제한을 두고 푸는 습관을 기르는 것이 중요합니다.

모든 기출문제 풀어 보기 〜〜〜

수학 기출문제 중에서 어려워 보이는 기출문제들은 빼고 쉬운 기출문제 위주로만 공부하려는 학생들이 있습니다. 하지만 답지를 참고해서라도 어려운 기출문제까지 모두 공부해야 합니다. 설령 그 기출문제는 틀릴지라도, 그 문제에 사용된 개념과 문제 풀이 방법은 또다시 출제될 가능성이 있기 때문입니다. 그렇기에 앞으로는 1등급이 목표가 아니라는 이유로 어려운 기출문제들은 빼고 공부하는 것보다는 답지나 강의를 참고해서라도 그 문제를 어떻게 푸는지, 어떤 개념과 원리가 적용된 것인지를 정리하면서 이해하려는 자세를 가져야 합니다.

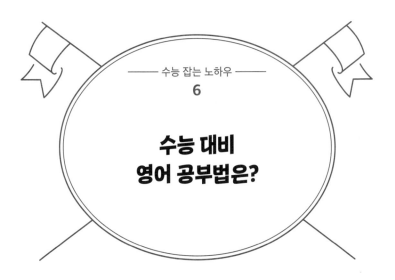

수능 대비
영어 공부법은?

저는 고등학교 때 이과였지만, 수학·과학보다 영어 과목을 더 좋아하고 성적도 늘 1등을 놓치지 않을 정도로 열심히 했습니다. 그이유는 다른 과목들보다 영어가 훨씬 쉽게 느껴졌기 때문입니다. 제가 영어를 좋아하고 더욱 쉽게 할 수 있었던 이유는 바로 영어 단어를 예전부터 열심히 암기해 두었기 때문이었습니다.

영어 공부는 단어, 문법, 해석, 문제 풀이, 듣기 등 여러 요소로 구성되어 있지만, 그중 가장 중요한 본질은 '단어'입니다. 우리가 한글을 생각해 보면 왜 '단어'가 영어 공부의 본질인지 쉽게 깨달을수 있습니다. 우리는 평소에 글을 읽을 때, 문법을 하나하나 생각하면서 읽지 않습니다. 한글로 된 글을 읽을 수 있는 것은 기본적으로 각각 단어의 의미를 알고 있기 때문입니다. 단어의 의미를 전혀 모르면, 아무리 문법을 열심히 공부하고, 해석을 공부한다고 해도 글 자체를 읽을 수 없을 것입니다.

영어도 마찬가지입니다. 영어로 된 지문을 읽으려면 일단 단어가 가장 중요합니다. 영어 성적이 낮은 학생들은 영어 지문을 읽기 힘들다는 이유로 해석 공부에 집중하거나, 문법 또는 문제 풀이 위주의 공부에 집중하기도 합니다. 하지만 문법이나 해석 그리고 문제 풀이 공부를 아무리 열심히 한다고 해도 여전히 글은 잘 읽히지 않고, 성적은 제자리걸음을 하기 마련입니다. 단어가 안 잡혀 있으니 아무리 다른 부분을 채우려고 해도 되지 않는 것입니다. 그러니 여러분이 영어 공부를 하는 데 있어서 가장 중요하게 생각해야 할 부분은 '단어'라는 사실을 명심합니다.

단어 암기 역시 앞서 언급했던 3가지 개념 암기법인 '백지 복습법, 큰 글씨법, 녹음법'을 활용하면 좋습니다. 하지만 더 중요한 것은 단어 암기를 할 때 '어원 위주의 공부'가 필요하다는 점입니다. 아무리 영어 단어를 열심히 암기한다고 해도, 수능을 보기 전까지 이 세상에 존재하는 '모든 영단어'를 암기할 수는 없습니다. 그 누구도 모든 영어 단어를 외울 수는 없을 것입니다. 그러면 결국 실제 내신이든 수능이든, 영어 지문을 읽을 때 하나라도 낯선 단어를 마주하게 된다는 의미입니다. 하지만 낯선 단어가 나올 때 그 문맥에 따라 대략적인 의미를 파악할 수도 있지만, 그 단어의 '어원', 즉 접두사 및 접미사 각각의 의미를 미리 알고 있다면, 단어의 의미를 유추하는 데 큰 도움을 받을 수 있습니다.

구체적인 예를 들어 보면, 접두사 'com'은 '함께', '같이'라는 의미가 있으며 'col, con, cor, co' 등의 형태로 변형되기도 합니다. 그렇기에 'correspond'라는 단어는 'cor(함께) + respond(대답하다)'여서 '일치하다'라는 의미가 되고, 'coexist'는 'co(함께) + exist(존재하다)'여서 '공존하다'라는 의미가 되는 것입니다. 그리고 'compile'은 'com(함께) + pile(쌓다)'여서 '엮다'라는 의미가 됩니다. 이런 식으로 접두사 'com'의 의미를 정확히 알고 있다면, 낯선 단어가 나오더라도 대략 어떤 의미가 될지 예측이 가능합니다. 그러니 영단어 공부를 할 때는 단어 각각의 의미를 암기하는 것도 중요하지만, 접두사와 접미사를 바탕으로 하는 '어원' 공부 역시 함께 진행하는 것을 추천합니다. 어원을 집중적으로 다루는 단어 책은 《능률 VOCA 어원편》(NE능률), 《해커스 보카 어원편》(해커스어학연구소) 등이 있으니 참고합니다.

수능 잡는 노하우
7

수능 대비
과탐 공부법은?

수능 과탐은 어떤 과목이든 결국 1등급을 위해서는 킬러 문제에 대한 확실한 정복이 필요합니다. 이러한 킬러 문제를 공부할 때는 효율적인 공부를 할 수 있는 3가지 자세에 대해 알려드립니다.

킬러 유형 공부는 독학보다는 인강 활용 ～～～

시중에 있는 교재를 활용하여 과탐 킬러 유형 역시 독학으로 공부하려는 학생도 있을 것입니다. 물론 독학으로 기출문제를 열심히 푼다면 본인만의 풀이 방법을 찾아서 문제를 잘 풀 수 있을지도 모릅니다. 하지만 기억해야 할 것은 우리는 과탐만 공부하는 것이 아니라 국어, 수학, 영어라는 주요 과목 역시 열심히 공부해야 하기에 과탐에만 투자할 시간적인 여유가 부족하다는 것입니다. 독학으로 킬러 유형의 풀이 방법을 찾으려면 너무 많은 시간을 들여야 해서 다른 과목을 공부할 시간을 뺏을 수 있습니다. 그러니 이미 수많은 기출문제를 연구하여 만드는 킬러 유형 풀이 기술을 인강을 통해 빠르게 학습하고 적용하는 연습을 하는 것이 시간 대비 효율적입니다. 그러니 평소 독학을 선호하더라도, 과탐 킬러만큼은 인강을 활용하는 것을 추천합니다.

킬러 기출문제는 최소 5번 이상 반복해서 풀기 〰〰〰

실제 수능에서 보게 될 과탐 킬러 문제는 이전에는 전혀 본 적 없던 새로운 문제일 것입니다. 낯선 킬러 문제를 봤을 때 주어진 시간 내에 빠르게 풀 수 있으려면, 기출문제에 대한 명확한 훈련이 되어 있어야 합니다. 그래서 과탐 킬러 기출문제는 단순히 한두 번 풀고 이해하는 수준이 아니라 최소 5번 이상 반복적으로 풀어 보면서 어떤 문제를 보면 그 문제의 풀이 방법이 곧바로 떠오를 수 있을 정도로 공부해야 합니다. 그 과정은 힘들겠지만, 분명 킬러 유형을 바라보는 관점이 넓어질 것입니다.

신 유형은 없다는 믿음 〰〰〰

수능 과탐 시험을 보면서 낯선 킬러 문제들을 접했을 때 이 문제를 보고 '신 유형'이라고 생각하는 순간, 더욱 낯설게 느껴져 문제를 빠르게 접근하기가 어려워집니다. 수능에서 신 유형이라고 하면, 결국 형태만 조금 달라졌을 뿐, 결국 수능을 위해 공부했던 개념과 기술들이 섞여 있을 뿐입니다. 교과과정 이외의 내용이 출제되지는 않기 때문입니다. 그러니 여러분이 실전에서 문제를 풀 때는 낯선 형태가 나왔다고 해서 먼저 겁을 먹고 접근하는 것보다는, 어차피 교과과정 내의 문제이니 배운 개념과 기술을 활용하면 충분히 풀 수 있겠다는 믿음을 갖는 것이 문제를 빠르고 정확히 푸는 데 훨씬 도움이 됩니다.

의대를 꿈꾸는 후배들에게 해주고 싶은 조언

이홍석(중앙대 의대 21학번)

의사라는 직업에 대해 깊이 있는 고민을 해보았으면 좋겠습니다. 자신이 정말로 의사가 되고 싶어서 의대에 오고 싶은지, 의대생이라는 간판이 필요한 것인지 구별해야 합니다. 후자라면 의대에 오는 것을 추천하지 않습니다. 의대생이라는 타이틀이 주는 우월감은 합격 후 반년 안에 사라지고, 남는 것은 막대한 책임과 공부일 것입니다. 진정으로 의사가 되고 싶다면, 모든 것을 쏟아부어 공부해야 합니다. 모든 것을 쏟아내지 못했다면, 당연히 낙오되고 도태될 것입니다.

백승현(중앙대 의대 21학번)

막연히 돈을 많이 벌고 싶어서, 그냥 의대가 좋아 보여서 의대로 진학하려는 친구들은 정말 진지하게 진로에 대해 고민해 봐야 합니다. 우리가 행복해지기 위해서는 성취감이나 동기가 있어야 하는데 그 목표가 흔들릴 수 있기 때문입니다. 생각보다 의대의 장벽이 높지는 않다고 생각하면, 큰 부담 없이 공부에 집중할 수 있을 것입니다. 여러분의 인생에서 가장 큰 장벽이면서도 가장 넘기 쉬운 장벽입니다.

김은수(중앙대 의대 22학번)

의사가 목표인지, 의대생이 목표인지 생각해 봤으면 좋겠습니다. 후자라면 길고 힘든 의대 생활을 견디는 동력을 다른 부분에서 찾는 것이 중요합니다. 그리고 공부를 할 때는 '메타인지'를 통해 자신의 부족한 점을 찾아 보충할 수 있어야 합니다. 결국 자습이 가장 중요하기 때문에 되도록 빨리 메타인지를 활용해 공부하는 연습을 하는 걸 추천합니다. 그에 따라 학원에 대한 의존도를 줄여 나가고 자습 시간을 늘리면서 효율적으로 공부하는 방법을 찾아야 합니다.

많은 사람이 현역으로 정시는 불가능하다고 이야기를 합니다. 저도 그런 소리를 아주 많이 들었지만, 결국 고3 때 정시 공부를 체계적으로 진행해서 의대 성적을 수능 보는 날 받을 수 있었습니다. 현역 때는 시간이 없는 만큼 인강, 학원보다는 독학 위주의 사고력 확장 공부가 무척이나 중요합니다. 빈틈을 채워 나가는 식으로 진행하고, 이를 위해 1년간 메타인지를 계속 활용해야 합니다. 단순히 공부는 많이 하는 게 중요한 게 아닌, 각종 시뮬레이션과 변수 대처 능력까지 필요하므로 여러 사람이 써 놓은 칼럼을 바탕으로 1년간 무엇을 해야 할지 많이 고민한 후에 공부했으면 합니다. 모의고사를 잘 보는 것보다 수능을 잘 보는 게 중요하다는 사실을 늘 명심하셔야 합니다. 즉 수능이라는 목표 아래서 계속 자신의 실력과 방향을 확인받으려고 애쓰면서 불안해하지 말고 자신을 믿고 열심히 공부하길 바랍니다.

박종명(중앙대 의대 21학번)

하고 싶은 것은 의대 들어온 후 예과 때 많이 할 수 있으니, 지금은 공부에 집중해서 자신이 이루고 싶은 꿈을 현실로 만들어야 합니다. 저는 평일과 공휴일을 따지지 않고 매일 열심히 공부했고, 심지어 그 흔한 피씨방에도 가 보지 않았습니다. 자신이 이루고 싶은 꿈이 있다면, 적당히 포기해야 할 부분도 있다고 생각합니다. 지금은 힘들고 지치는 순간이 많겠지만, 조금만 노력하면 여러분도 할 수 있습니다. 하루하루 승리하길 바랍니다.

고등학교 3년,
끝이 있기에 더욱 빛나는 순간들

고등학교 3년, 10대 인생 중 가장 힘들고 지치는 시간입니다. 내신 공부, 수능 공부, 각종 수행평가, 동아리 활동, 친구 및 선생님과의 관계 등 해야 할 것들이 정말 많은 시기입니다. 그래서 고등학교에 진학하는 것 자체를 두려워하는 학생들도 있고, 얼른 고등학교 3년이 지나가서 대학생이 되었으면 좋겠다고 생각하곤 합니다.

하지만 저는 고등학생 때 이 '고등학교 3년'이 우리 인생의 축소판 같다는 생각이 들었습니다. 우리의 인생은 정말 길게 느껴지지만, 결국에는 마지막 순간이 있습니다. 우리는 '죽음'의 존재를 알고 있기에 하루하루에 감사함과 소중함을 느끼고 더욱 힘을 내면서 살아가는 원동력을 얻습니다. 고등학교 3년이라는 시간도 마찬가지입니다. 길게 느껴지지만, 결국 '수능' 그리고 '대학 입학'이라는 끝이 있습니다. 이렇게 정해진 끝이 있다는 것을 알고 있기에 3년만 잘 버티면 된다는 생각으로 좀 더 힘을 내어 고등학교 생활을 버텨낼 수 있습니다.

가장 힘든 일은 '끝이 어디인지 모르는 일'입니다. 아무리 열심히 해도 끝이 보이지 않는 일, 지금 내가 어느 정도에 와 있는지 전혀 가늠할 수 없는 일, 그것이 가장 힘들고 무서운 일입니다. 하지만 고등학교 3년은 다행히 대학 입학이라는 명확한 '끝'이 우리를 기다리고 있습니다. 그렇기에 좀 더 힘을 내어 목표 지점으로 달려갈 수 있습니다. '끝'이 있다는 것은 반대로 이야기하면 그 끝에 도달하여 넘어가면 다시는 원래의 자리로 돌아올 수 없다는 것입니다. 우리가 대학 입학에 성공하는 순간, 매일 학교에 다니고 내신과 모의고사 시험을 치열하게 봤던 '고등학교 3년'의 그 시간은 우리 인생에서 다시 겪지 못할 순간이 됩니다. 그래서 더욱 소중하고 빛나는 시간이라고 할 수 있습니다.

대학에 입학하는 순간, 우리는 하나의 사회 구성원으로서, 성인으로서, 첫걸음을 내딛게 됩니다. 고등학교 3년의 세월은 그 준비 과정이었던 것입니다. 그 시간 동안 우리는 공부를 통해 끈기를 배웠고, 인내심을 배웠고, 열정을 배웠고, 좌절감을 이겨내는 방법을 배웠습니다. 친구 관계를 배우고 선생님들과의 관계를 쌓아왔습니다. 이러한 과정들은 돈을 주고도 살 수 없는 인생에 있어서 소중한 경험이었습니다.

할 일은 많고 마음먹은 대로 성적은 오르지 않는 고등학교 시기, 모든 것이 힘들고 지쳐 포기하고 싶을 때도 있습니다. 하지만 정해진 목적지까지만 멈추지 않고 걸어가면 그 이후에는 목표한 꿈에 한 발 더 다가갈 수 있으며, 한층 성장한 자신을 만날 수 있습니다. 그러니 오늘 하루 몹시 지치더라도 이 여정에 '끝'이 있음을 항상 기억하고 조금만 더 힘을 내길 바랍니다. 대학 입학이 인생의 마지막 목적지는 아니지만, 멋진 미래를 향해 나아가는 첫 번째 관문이 될 것입니다.

이 시기에 최선을 다해 하루하루를 보낸다면 먼 훗날 우리가 자신의 고등학교 시기를 떠올렸을 때 정말 소중하고 빛났던 순간이자 그리운 추억으로 기억될 것입니다. 그리고 그렇게 될 수 있도록 이 책이 고등학교 3년 내내 여러분과 함께하겠습니다.